亜也、15歳。

少しずつ痩せ、足元がおぼつかなくなるなど、病気の兆しが見えてくる。これから始まる高校生活への期待に胸をふくらませる一方、病状の進行に不安を覚える。

亜也、18歳。

公立高校から養護学校へと転校。負担を減らすため電動式の車椅子を使用するようになる。「好きで車椅子に乗ってるわけじゃない」と、周囲のからかいに悔し涙を飲むこともあった。

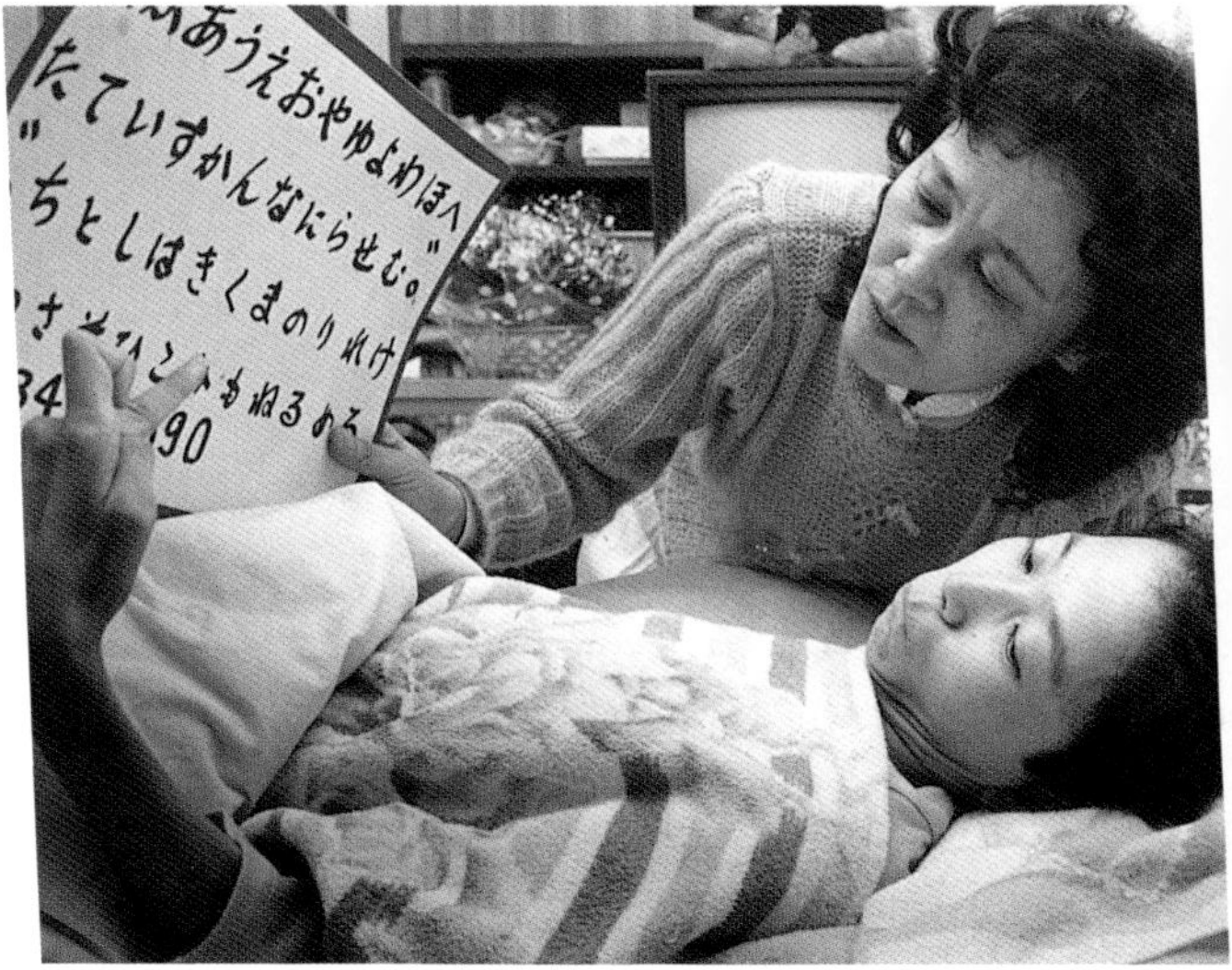

亜也、23歳。

病状が進み、文字を書くこと、言葉を話すことができなくなる。試行錯誤を繰り返しながら作成したオリジナルの文字盤で、亜也はゆっくりと時間をかけて自分の意思を伝えた。

亜也、14歳から20歳までの日記帳。

亜也は自らの決心、自分への励まし、反省、感謝の言葉などを、手が動かなくなる瞬間までノートに書き続けた。そのノートは46冊にも及ぶ。

1リットルの涙
難病と闘い続ける少女亜也の日記

木藤亜也

幻冬舎文庫

1リットルの涙

難病と闘い続ける少女亜也の日記

目次

14歳——わたしの家族

メリーが死んだ

今日《きょう》はわたしの誕生日。ずいぶん大きくなった。

父と母に感謝しなくてはいけないと思う。

もっともっと、いい成績をとって、丈夫《じょうぶ》になって、悲しい思いをさせないようにするんだ。そのためにも、この青春の始まりを、悔《く》いのないように大切にしたい。

あさってからキャンプに行く。がんばって勉強をやっちゃわにゃ安心して行けないもん。

フレー、フレー、亜也《あや》ちゃん。

メリーが、隣《となり》の猛犬タイガーに首をくい破られて死んだ。

体の小さなメリーが、大きいタイガーに親しみの情をこめて、短いシッポをピンピンふって近づいて行った。

「メリー、だめっ！　こっちへおいで」と必死《ひっし》に叫んだのに……。

何も言えずに死んじゃったメリー、悔《くや》しかっただろう。犬に生まれてこなきゃあこんなに早く死ななかったろうに。

メリー、どこかで幸せになって！

新居《しんきょ》完成。二階の東側《がわ》の広い部屋が、わたしと妹の城。天井《てんじょう》は白。壁は茶色の化粧《けしょう》板《ばん》。窓から見る外の景色が、いつもと違うように見える。自分の部屋があることはうれしいけど、広くてさみしい感じもする。こんばん眠れるかな。

新しい気分で出発！

一　服装は、Tシャツとズボン（活動しやすいから）。

二　日課としてやること――庭の水まき。草とり。一本だけ植えておいたトマトの葉の裏に、虫がいないかを見る。菊の葉のあぶらむしも見る。いたらすぐに退治《たいじ》する。

三　勉強をおろそかにしないこと。

四　その他、毎日のできごとを日記にきちんとつける。

以上、申しつける。

わたしの家族

父　四十一歳。ちょっぴり気性《きしょう》が激《はげ》しいけど、優しい。

母　四十歳。尊敬しているが、ピシャッと急所をつくのでこわい。

私　十四歳。思春期《ししゅんき》の始まり。難《むずか》しい年ごろ。一言《ひとこと》で言えば、泣き虫。感情のかたまり人間。単純ですぐ怒り、すぐ笑う。

妹　十二歳。この妹には、勉強でも性格でもライバル意識《いしき》を持っている。と言ってもこのごろはやや押され気味《ぎみ》。

弟　十一歳。これがくせ者。こわいんだよなあ。弟のくせして時には兄貴《あにき》に化《ば》ける。

コロ（犬）の育ての親でもある。

弟　十歳。想像力豊かであるが、軽はずみなところあり。

妹　二歳。母ゆずりのちぢれ毛と、父ゆずりの顔（特に目、八時二十分）。とても可愛《かわい》い。

15歳——忍びよる病魔

兆《きざ》し

このごろ何だかやせてきた。

山ほどある宿題や自由研究で、食事を抜《ぬ》きにしたせいかな？

思っても実行できなくて悩む。自分を責《せ》めながらもはかどらない。エネルギーが消《しょう》耗《もう》するばかり。もう少し太りたいなあ。

明日からは、計画表をむだにしないように行動しよう。


雨がしとしとと降っている。重いカバンと手さげ、おまけに傘を差しての登校はきらい。やだなあ、と思ったとたん、家から百メートルくらい先の小石の敷《し》いてある細い道で、突然ひざがガクッとなってずっこけた。

あごをひどくぶった。そっとさわってみると、ベトッと血がついた。散らかったカバンや傘を拾って、まわれ右して家へ帰った。

奥の方から母が、

「忘れ物したの？　早く行かんと遅刻するよ」

と言いながら、玄関まで出てきた。

「どうしたの？」

でも泣くだけで何も言えない。

母は、血だらけの顔を手早《てばや》くタオルでふいてくれた。割れた傷口に砂がくいこんでいた。

「これは医者へ行かにゃあいかんわ」

と言って急いで濡《ぬ》れた服を着替《きが》えさせてくれ、傷口にピタッと絆創膏《ばんそうこう》をあて、車にとび乗った。

麻酔もかけず、二針縫《ぬ》う。自分がドジだから、痛くても歯をくいしばって我慢《がまん》した。

それより、急に仕事を休ませてしまったお母さん、ごめんなさい。

運動神経が鈍《にぶ》いから手が前にでなかったのかと、痛むあごを鏡で見ながら思った。

でも、あごの裏でよかった。まだ嫁入り前の女の子だから、見えるところに傷が残ったらお先まっくら。

体育の成績。

中一＝3　中二＝2　中三＝1

悔しい！　努力がたりないのか。

夏休み中のサーキット・トレーニングで、ちっとは体力が向上《こうじょう》するかと期待したのに、やっぱりダメだった。

もっとも、長く続けなかったからあたりまえかなあ（あたりまえだ！＝陰《かげ》の声）。

朝、キッチンの窓の黄色いレースのカーテンをすかして入ってくる光と風、わたしは泣いていた。

「どうして、わたしばかりこんなに運動神経が鈍いのかしら？」

実は、今日平均台のテストがある。

母は、目を伏せるようにして言った。

「でも、亜也は勉強ができるからいいじゃん。将来のことは好きな学科を生かせばいい。英語が得意だから徹底的《てっていてき》にマスターしりん。英語は国際語だからきっと役に立つよ。体育が1であってもかまわないから……」

わたしの涙は止まっていた。残されたものはあったのだ。


涙もろくなっていけない。

自分の体が思うように動いてくれない。一日五時間やれば消化できる宿題をさぼったから、あせっているのか？　いや違う、体の中で何かが故障しはじめているようだ。

こわい！

胸が締《し》めつけられる思いがする。運動したい。思いっきり走りまわりたい。勉強したい。きれいな字が書きたい。


「涙のトッカータ」って本当にいい曲だ。好きになってしもうたんよ。あの曲を聴きながら食事をすると、夢みたいにおいしくなってしまうんです。


「妹」論《ろん》デス。

今までは、妹の意地悪《いじわる》なところしか気づかなかったけど、本当は優しいんだなあと思うようになった。そのわけは、朝登校する時、弟はわたしをおいてどんどん先に行っちゃうのに、妹は、のろいわたしといっしょに歩いてくれる。歩道橋を渡る時も、カバンを持ってくれて、

「手すりをつかんで上がりんよ」

と言ってくれた。


夏休み気分もだいぶん抜《ぬ》けてきた。

夕食の後《あと》かたづけが終わり、二階へ行こうとしたら、母が、

「亜也ちゃん、ちょっと座りん」

と言った。何を叱《しか》られるかと緊張《きんちょう》したほど、母は真剣《しんけん》な顔をしている。

「亜也ちゃん、このごろヒョコン、ヒョコンと上半身が前のめりになって、左右フラフラ揺《ゆ》れて歩いているようだけど、自分でもわかる？　様子《ようす》を見てたけど、お母さん何だか心配なの。一度病院へ行こうか」

「……どこの病院へ？」

と、やっと聞いた。

「しっかり診《み》てくれる病院をさがすから、まかしときん」

涙がとめどもなくでてきた。本当は「お母さんありがとう、心配かけてごめんね」と言いたかったのに、喉《のど》がつかえて言葉《ことば》にならなかった。

運動神経が鈍いせいか、夜ふかしするせいか、食事が不規則だったせいか、と自問《じもん》自答《じとう》していたが、病院へ行こうというのは、やっぱりどこか悪いのかしら、そう考えたら泣けてしょうがない。泣き過ぎて目が痛くなる。

受診《じゅしん》

I go to the hospital in Nagoya with my mother.

午前九時出発。妹の具合《ぐあい》悪し。でも保育園へ行った。わたしが病院へ行くために、……かわいそうな妹。

十一時、病院（国立名古屋大学付属《ふぞく》病院）着。三時間ぐらい待つ間、本を読んでいたが、緊張。不安と心配でいつものように熱中できなかった。母は、

「祖父《そふ》江逸郎《えいつろう》教授《きょうじゅ》に電話してあるから大丈夫《だいじょうぶ》よ」

と言ってくれたが……。

やっと呼ばれた。心臓がドッキン、ドッキン。

母が説明する。

一　転《ころ》んであごを切ったこと（普通なら手をつくのに、顔を直接地面に打った）。

二　歩き方が不安定なこと（ひざの曲げが小さい）。

三　やせてきたこと。

四　動作がのろいこと（機敏《きびん》さに欠けてきた）。

聞いていて、わたしはこわくなってきた。忙《いそが》しく動きまわっている母が、こんなに細かく観察していたとは……。すべてお見通しだったのか……。でも安心した。

これで、ひとりひそかに心配していた自分の体のことが、医師に伝えられた。悩みは解消するわけだ。

丸い椅子《いす》に座り、先生の顔を見た。メガネをかけ、ニコニコして優しい顔だったのでほっとする。目をつむって両手を広げ、人指《ひとさ》し指を近づける。片足で立つ。ベッドに寝て足を伸ばしたり曲げたりする。ハンマーでひざをポンとたたく。されるがままの診察が終わった。

「CTをやりましょう」

と先生がおっしゃった。

「亜也、痛くもかゆくもないよ。頭の中を輪切《わぎ》りにして見る機械だからね」

と母。

「ウヘェー、ワギリ！」

本人にしてみれば一大事《いちだいじ》。大きな機械が上からゆっくりおりてくる。宇宙船に乗っているみたいに頭がすっぽりはまった。

「動かないで、じっと寝ていればいいよ」

と白衣の人が言ったので、じっとしていたら、ウトウト眠《ねむ》たくなった。

長いこと待たされて、薬をもらって帰路《きろ》につく。

仕事が一つふえた。飲んで良くなるなら、腹いっぱいになるほどたくさんのクスリがあっても、文句《もんく》は言うまい。先生タノミマス。花ならつぼみの亜也さんの人生を狂わせないように、力になって下さい。

病院まで遠いし学校があるから、月一回通えばいいと言ってくれた。必ず通うし、言われたことをきちんと守るから、どうか治《なお》して下さい。

天下の名古屋大学！　祖父江先生！　お願いします。

悔悟《かいご》

青陵《せいりょう》中学の唯一《ゆいいつ》の収穫物《しゅうかくぶつ》の夏みかん。その並木の草取りに行った時、男子生徒がわたしの歩き方に文句をつけるんだ。

「何だね、その歩き方は？　幼稚園の子みたい」

「おうおうはりきっちゃって、ちとガニマタだね」

もう頭にくることばかり並べたてて笑う。もちろん無視《むし》した。そんなの相手にしてたら海の水がなくなっちゃうもん。でも涙をこらえるのに苦労したよ。どうにか泣かずにすんだけど……。

今日、ものすごく悔しいことがありました。

体育の時間のこと、いつものように着替えて集合場所に行った。

「今日は一キロ先の公園まで走って行く。そこでバスケットボールのパスの練習をする」

と先生。

私はドッキンとした。走る、パス……できない、わたしにはできないよ。

「木藤君どうする？」

わたしは、うつむくだけだった。続けて先生は、

「じゃあ、Oさんと教室で自習しとりん」（Oさんは体操服を忘れてきたためなのです）

すかさず級友の声がとぶ。

「わァー、いいね、自習なんて」

わたしの腹の中は煮えくり返った。

「そんなに自習がいいのなら替わってあげる。たとえ一日でもいいから体を交換《こうかん》してほしい。やりたくてもできない人の気持ちがわかるにィ」

歩くたびに、そう、一歩踏み出すごとに感じる体の不安定さ、頼《たよ》りなさ、みんなができることがやれない屈辱感《くつじょくかん》、惨《みじ》めさ。そんな気持ちは実際に体験しなければ理解できないものなのか？　本当にその人の気持ちになれなくても、少しくらいは、わたしの立場に立ってほしい。

でも難しいことだと思い直した。わたしだって、こうなって初めてわかったことだ

から……。

発熱

風邪《かぜ》をひいたらしい。熱があるようだが気分はいいし食欲もある。しかし、体に自信がなくなった。

体温計がほしい(割ってしまったので)。自分の健康状態を数字で確かめたい。父に頼もう。

亜也は、よく病気をする。弟妹《きょうだい》の倍以上お金を使う子だ。大人になったら、丈夫《じょうぶ》になったら、その分らくさせてあげます。大事にしてもらった分、うんと親孝行《こうこう》します。

寝ていると、いろんなことを考える。

社会の時間に先生がおっしゃったこと。

いじめられることも、自分を強くする一つのいい体験なんだ。中学生の勉強は、コツコツやることによって、よくできるようになるんだって。今からでも遅くはない。がんばってやってみよう。……と思うかたわら、体の不調が精神の不安を招《まね》く。

〝泣くな弱虫〟苦しい時は人間が成長している時。今をきり抜ければ、素晴《すば》らしい朝がやってくるんだ。光に満《み》ちあふれ、鳥がさえずり、白いバラが香《かお》る、豊かな朝が……。

幸福って、いったいどこにあるのでしょう。

幸福って、いったい何でしょう。

「亜也さん、今、幸福かい？」

「とんでもない。今は底なしの悲しみの中。苦しい。精神的にも、肉体的にも……」

事実、わたしは今、気が変になる一歩手前にいるのだ！

だって泣いたカラスが、もう笑った調《ちょう》ですもん。

個性

わたし自身、ほんとに個性のないありふれた考え方しかできない人間だから、個性の強い人に憧《あこが》れます。

人間ひとりひとりが、違った個性を出し合っていくことに、大きな魅力を感じます。

わたし達の生きている社会も、映画『００７』のように、個性と特技が生かされてできているのかもしれない。

世の中は個性の強い人を必要としている。

ただし、個性は自分の所有物《しょゆうぶつ》であって、他人に押しつけるものではない。

でも、人って、いろんな受けとめ方をするから、ややこしくなってしまうんだ。

下校する時、自転車置き場で恵子と会った。わたしが「ヤマト」と「ラストコンサート」のレコードを持って、恵子は、わたしの重いカバンを自転車のかごに入れてくれた。

恵子は、用事があるからと言って、歩道橋の下で別れた。

わたしは、恵子のそうした、はっきりとしたところが大好きなんだけど、他の人は、恵子の態度を、薄情《はくじょう》と思っているらしい。

進路

個人懇談会《こんだんかい》があり、先生と母とわたしの三人で、話し合う。
一 実力=公立で大丈夫、いける。
二 体のこと=今は、歩くことが不安定なだけであるが、状態がどう変化するかわからないから、通学距離《きょり》の近い高校が条件である。群制《ぐんせい》だから、遠方《えんぽう》の学校にならないように理由書を提出して、手続きを事前にとる。

三　すべり止めを受験する（私立）＝母もわたしも、公立一本ときめていたけど、受験のふんい気を味わうだけでも意義はあるという先生のすすめに従うことにする。

巣立《すだ》ち

ありありと　花に花　鳥に鳥　汞二《こうじ》

と書いた立派な色紙、裏には「木藤君の卒業を祝って」。岡本先生が書いてくれたんだよ、亜也だけに……嬉《うれ》しかった。

ちょっとこわい顔だけど、草花の好きな優しい先生です。

わたしは心からお礼を言い、感謝のほほえみを浮かべました。先生は歌の意味を教えて下さった。

「あのなあ、ありありというのは、はっきり、まざまざという意味なんだ。〝花〟と人間が名づけてよんでいる花、〝空とぶ鳥〟と人間がよんでいる鳥があるっていうことなんだよ」

パッと青い空、校舎のいらか、そして濃い緑の木をふりあおいだ。

歌の意味は、半分もわからんかったけど、先生が〝がんばれよ〟と励《はげ》まして下さっていることはわかるような気がしたんです。わたしも〝やるぞ〟という勇気がわいてきました。

「あの字、何で書いたと思う？」

「筆じゃあないし……」

先生はニタッとして、

「実はねえ、つまようじをかみほぐして書いたんだよ。上等のすずりと墨《すみ》を使ってね」

すごいアイデアだと感心した。

「壁《かべ》にかけるリボンがあったのわかった？」

「はい！」

先生はにっこり笑って去って行った。

卒業式の日に、こんな素晴らしい出会いが生まれたなんて、いつまでも忘れません。これからも心の支《ささ》えになってください。

公立入試

朝は注文どおり〝でぇこん〟（大根）の味噌汁《みそしる》を作ってもらう。私立入試の朝もそうだった。この時は注文したわけではないけど、それで合格したから、縁起《えんぎ》をかついだまで。

ちょっとこだわりすぎかな？

トイレへ二回行き、試験場の豊丘高校まで、母の車で送ってもらう。

ぞくぞく集まってくる子がみな利口《りこう》そうに見え、気おくれとあせりがわいてくる。

先生に従ってそれぞれの教室へ案内された。

わたしは二階へ上がる階段の途中《とちゅう》、ズッコケて足をくじいてしまった。結局、保健室で一人で受験する。ドミジメ、クソミジメ。

母から借りた時計を耳にあて、心を落ち着かせた。

合格、ヤッタァ！　母もわたしも涙でくちゃくちゃの顔になった。

自分の力をうんと出して、友達もたくさんつくって、転《ころ》ばないように、がんばるぞ！

夕食は、わたしのリクエストで、ハンバーグ。

主役になったみたいでホク、ホク。

思うように動かない体にムチ打って、がむしゃらに勉強した苦しさなんて、ふっとんでしまった。このいい気持ち。

でも、心細さもある。最初からハンディをしょっている。行動の不自由さが目立ってきている。歩くのもおぼつかない。人にぶつかりそうになっても、さっとよけられない。

だから、廊下は端《はし》の方を歩こう。新しい友達の目は、わたしに集中するだろう。どうせわかることだから、隠《かく》さないで本当の姿を最初から見せてしまえばいい。

——と頭ではそう思っても、やはり不安だ。ついていけるだろうか。体育の時間はどうなるだろう。

母のひとこと

「これからの高校生活はけっして楽な道ではないよ。毎日の行動そのものが、制限を受けたり、他の子と区別されたりして、つらいことの方が多いかも知れないよ。だけど、人は皆一つや二つは苦しいものを持って生きているんだよ。それに耐《た》えて耐えぬいて生きていかなければならないんだよ。自分を不幸と思ってはいけない。それ以上に不幸な人がいるんだと考えれば、また我慢もできるからね」

なるほど、と思った。わたしが苦しんでいる以上に母は苦しいに違いないんだ。自分より困《こま》っている人、苦しんでいる人のことを考えて、母は一生懸命《いっしょうけんめい》仕事をしている。そんな母のことを考えると、わたしの不満なんて、まだ耐えられる。父母のため、自分のため、社会のために、生きていくことに希望をもって、これからもがんばろうと決心した。

入院

高校に入学して初めての受診《じゅしん》。東名高速道路で行っても二時間はかかるので、朝早く出発した。

先生に伝えたいことをメモしておこう。

一　歩きづらくなった。物につたって歩かないと転ぶ。足がつっぱって運びにくい。

特に朝はいかん。

二　ごはんを急いで食べる時、お茶を飲《の》む時に、よくむせてしまう。

三　ひとり笑いをよくする（ニタニタした感じ。これは、何が面白《おもしろ》いと弟に言われて、ハッと気がついた）。

四　わたしは、どういう病気ですか？

いつものように長く待たされた後、祖父江先生と三人の若い先生の診察を受けた。運動神経や反応を診《み》るためか、曲げ伸《の》ばし、たたく、歩かせるなど、いつもといっしょのことをやる。

母がわたしのメモを手短《てみじか》に伝え、普通高校で級友の手助けのもとに通学していることも伝えた。

診察を終えて、先生は、

「夏休みを利用して、一度入院しましょう。検査と治療の目的でね。帰りに入院手続きをしていくように」と、ひとこと。

ウヘェー、入院。エライコッチャ。今の状態から脱出できればこれも辛抱《しんぼう》じゃ！と、あっさり受け入れたつもりだったが、いったいわたしの体はどうなっとるんだ。何かがこわれかかっているんだ。早く修繕《しゅうぜん》せんとえらいことになる。こわい。第四の質問は、入院まで保留《ほりゅう》と言われた。

帰りの車中で母にたずねた。

「名大（名古屋大学付属病院）っていい病院？　きっと治してくれる？　高校生になって初めての夏休みなので、やりたいことがいっぱいあるから短い方がいい」

「亜也、これからも体のことで気づいた点はメモしておきんね。どんな小さなことでも必ず話すんだよ。治療《ちりょう》の助けになるからね。そうすれば入院は短くてすむかもしれないよ。入院も長い人生の一時《いっとき》と思えば、いい体験として残るよ。それより、お母さんは、日曜日しか行けないから、洗濯も無理せん程度に自分でやるんだよ。下着はたくさん買ってあげるけど、帰ったらほかに入用《いりよう》な物を書き出して準備せんといかんね」

途中、岡崎インターチェンジを出て、おばちゃん（母の妹）の家へ寄った。母が説明するのを聞いていたら、涙が出てきた。

「どんなことをしてでも治してやりたい。名大病院でダメなら、東京へでもアメリカへでも、亜也の病気を治してくれるところを探し出す」

と言う母の言葉《ことば》に……。

おばちゃんは、

「亜也ちゃん、早く治そうね。今じゃあどんな病気でもたいてい治るんだから、それに、まだ若いんだから……。だけど〝治す〟という気力をもたんといかんよ。弱気でメソメソしとったら、効《き》く薬も効かんくなるからね。おばちゃんもちょくちょく行ってあげる。用事があったら電話しなさい。すっとんでくから、何も心配せんとがんばりなよ」

と言ってティシュペーパーを取り出し、

「はよう鼻かんでジュースを飲みん。涙と鼻汁《はなじる》が入ったら、しょっぱくなるに」

と笑わしてくれた。

後《あと》、二か月のことだけど、時間よ止まれ！　亜也の病気もいっしょに止まれ！

16歳——苦《く》悩《のう》の始まり

入院生活

初めて家を離れての生活が始まる。

五十歳くらいのおばさんとの二人部屋だ。「くれぐれもよろしく」と母が挨拶《あいさつ》したので、いっしょに頭をさげた。もの静かな感じで寂《さび》しそうな目をしていた。どんな生活が始まるのか心配で、わたしは緊張気味《きんちょうぎみ》。

夕方、おばさんと散歩に行く。桜の木の下のベンチに座った。葉の間から光が躍《おど》って見えた。ひどい近視なのではっきりと見えないけど、緑と白光の関係に〝美〟を感じた。そして葉を無造作《むぞうさ》に揺《ゆ》らす風に〝変〟を感じた。

病院生活にもだいぶん慣《な》れたけど、何と言っても消灯が九時、夕食は四時半と早い。ペースが変わり、あくせくと一日が駆《か》け足で過ぎて行く。

筋電図《きんでんず》（痛ーイ）、心電図《しんでんず》、レントゲン、聴力《ちょうりょく》検査と、毎日たくさんの検査をする。

広い病院内を迷子《まいご》になるくらいあちこちつれて行かれる。でもうす暗い廊下《ろうか》はいただけない。気分まで暗くなってしまう。

いよいよよく効く注射を開始する、と山本纊子《ひろこ》先生（現在、藤田保健衛生大学神経内科教授）がおっしゃった。注射の前後を比較するために、歩行、階段の昇降《しょうこう》、ボタンかけなどを、16ミリカメラにおさめる。

将来、わたしは何になるだろう、いや、なれるだろうか？

条件　一　体を使わないでできること。
　　　二　頭を使ってできること。
　　　三　収入が安定していること。

難しい。この三条件を満たす職業なんてあるだろうか。

若いドクターが数人で、わたしをひねくりまわす。爪先《つまさき》立ちをして！　目をつむって立って！　これ、できるかな？

そして骨盤《こつばん》がどうのこうの……。

あげくの果てに「おもしろい？」

もう、いや。わたしは、モルモットじゃない、もうやめて！　と叫《さけ》びたくなった。

待ちに待った日曜日。母上と妹二人がきてくれる。みんなで屋上へ洗濯物を干《ほ》しに行った。青い空がきれいだった。雲も白くてきれいだった。風も生暖《なまあたた》かかったけど気持ち良かった。久しぶりに人間に返った気がした。

脊髄液《せきずいえき》をとる。頭がイタイ。猛烈に痛い。注射のせいか！

みいちゃん一家（母の弟家族）がきてくれる。おじちゃんの目は、まっ赤だった。よほど言おうと思ったけど言えなくて、じっと見ていたら、

「仕事で日焼けしたし、ゆうべ遅くまで起きていたから……、変な顔しとるか？」

とおじちゃんが言った。

気の毒なほど、黒かった。そして兎《うさぎ》のような目だった。泣いた後のようだ。

「亜也、がんばれよ。今度うまいもの持ってきてやる。何がほしい？」

「本がほしい。サガンの『悲しみよこんにちは』、前から読みたかったの」

と頼んだ。


地下の理学療法部《りがくりょうほうぶ》へ行く。

PT・川端と今枝（PT・＝理学療法士）より、学力テストを受ける。

その時、わたしはバカなことを言ってしまった。国語と英語が大好きで自信があるとか、成績は上位だとか、よくもまあ言えたもんだ。もうこれっきりにしよう。成績のことを自慢するのは、よけい自分が惨めになって銀行強盗でもしたくなるから……。だいたい頭がいいなんていうのは、内からにじみでてくるもので、通知表の成績なんかで、わかるもんじゃあない。

PT・川端は、学生時代、いたずらばかりしていたそうだ。

ほんとは、その方がいい、健康的だもの。

わたしは、まだ若いのにこんな体になってしまって……。

あまりにも情けなくて、不覚《ふかく》にも涙が出てしまった。

もう、これ以上言うまい。書くだけ書いたら、サバサバした。

わたしがガリガリ勉強するのは、これしかとりえがないから。
わたしから学ぶことを取ったら、不自由な体が残るだけ。こんなことは思いたくない。
寂《さび》しいけど、厳《きび》しいけど、これが現実！
頭なんか悪くてもいいから、丈夫《じょうぶ》な体がほしい。

研究

〈その1〉テスト　お星さまキラキラって手を動かす。
注射する前　R（右）12回　L（左）17回
注射3分後　R（右）18回　L（左）22回
注射5分後　R（右）18回　L（左）21回
〈その2〉　リハビリ
(1)　四つんばい
重心の移動（半円を描《えが》くように）

〈骨盤《こつばん》の回転〉

┌四つんばいになるとき┘←┌もとに戻《もど》るとき┘←

足を曲げる⇩骨盤の回転⇩手をつく⇩骨盤の回転⇩手を上げる

＊足を逃がさない。けんこう骨を内転させない。

(2)　反射運動　足をパッと上げたとき、手をつく。転んだとき役立つ。

＊けんこう骨内転、重心が後ろにある。

(3)　手の振幅《しんぷく》運動　手を前後に振幅して骨盤の動きをみる。

右手前＝右骨盤後ろ
右手後ろ＝右骨盤前、

要するに、歩くときに交互に手と足を出すということ。

わたし　右手前＝右骨盤後ろ
右手後ろ＝右骨盤後ろ、

おかしい。出る足と手が、いっしょになってしまう。

(4) 四つんばいから、ひざ立て。
(5) 矯正《きょうせい》 後ろへ両肩を反《そ》らして、ひざを背骨にあててもらいまっすぐにする。
(6) はいはいの練習
　右手を出して⇩左足を出して⇩左手を出して⇩右足を出して
　足はまっすぐに出す。
　ふつうに歩くって、大変なことなんだ。
(7) 起き上がり

山本先生から、「今日K君という子が入院するよ。亜也ちゃんと病状が似ているんだよ」と聞いていたが、その子と廊下で行き会った。

きゃしゃな小六か中一の男の子。無垢《むく》な子で体の悪いことなんかちっとも気にしていないような、明るい感じの子だった。

「注射が効《き》くといいね。早くなおりんね」

心の中で声援を送った。

注射の後、頭が痛くて気持ち悪くなったけど、薬が効いてきたせいか、慣《な》れてきたせいか、だんだん痛みが少なくなってきた。

声の録音をした。喉《のど》か舌《した》の運動神経を調べるのかな。

リハビリはとても大切ですって！　山本先生がおっしゃった。がんばらなくっちゃと思っても、つらかった。正常でないわたし、泣けそうだったよ、お母さん。

炎天下の屋上で、十六ミリの撮影をした。体がとてもつらかった。

PT.川端、わたしはやっぱりロボット式でないと歩けません。悲しいな。

一服した時、PT.川端は子供のころの話をして下さった。

「屋上からしょんべんをして、先生の頭にひっかけてぶんなぐられた」

誠《まこと》に豪快《ごうかい》ないたずら……わたしには真似《まね》できんことだけど、むずむずと何かやりたくなる気持ちがわいてきた。木に止まっているアブラゼミ（いずれも♀）をすばやくつかまえる技《わざ》があったのよ。

セミの脱皮《だっぴ》のことをセミヌードだって！

やっぱり男だなあと思った。

熱がでる。三九度二分《ぶ》。死んでしまうのではないか？　いや、病気になんか負けてたまるか！　母と家が恋しくなった。

くそっ！　ふんばろうとしたところでいつもこうなんだ。精神と肉体のアンバランスが、どこまでもつきまとうような予感がする。

このまま年をとるのがこわい。今十六歳《さい》。

あと数本で注射も終わり。そして一応退院。

普通ならこれで晴れて万万歳《ばんばんざい》となるところ、わたしは違う。注射を始めたころは副作用（はき気・頭痛）に悩まされた。先生は効果はあったと言っているが、以前のように正常に歩けるようになると期待していたわたしは、よくなったと思えない。

生徒手帳の他に、身体障害者手帳（三級）がふえた。

運動神経を支配する小脳《しょうのう》の細胞《さいぼう》が、何物かによって働きが悪くなってくる病気で、百年くらい前に、初めて報告された病気だという。

病気は、どうしてわたしを選んだのだろう。

運命という言葉では、かたづけられないよう！

二学期

母の教訓＝のろくてもいい、下手《へた》でもいい、一生懸命やるという姿勢が大事だ。わたしはいつも真剣よ、と言いたいが、行動についてはそうであっても中身《なかみ》については、チクンときた。

始業式後、母は先生と話し合った。

一　入院治療により、多少改善の徴候《ちょうこう》はあったが、難しい病気であるため回復は困《こん》難《なん》であること。

二　教室移動、その他の作業で、級友に迷惑をかけることが多々あると思うけど、その点は配慮《はいりょ》してほしい、いろいろ問題も生じてくると予測されるがやれるだけやらせてほしい、と申し入れた。

母の工夫《くふう》。

一　教科書は、バラバラにして必要なページだけを持って行く。ノートはルーズリーフ一冊にして、見出しをつけ、区分《くぶん》する。

二　カバンは、手さげから、肩にかけるズックの軽いのに替える。
三　通学は、朝のラッシュは危険だから、家からタクシーを使う。帰りは状況判断して、バスかタクシーを利用する。
「絶対に無理はしないこと。タクシー会社にわけは話してあるから、お金は払わんでいいからね」

と母。

どこまで、わたしは、金くい虫で、迷惑をかける子なんだ、ごめんね。

魔の十三日

学校の正門前からバスに乗った。旭橋《あさひばし》で乗り換えのため下車、横断歩道を渡り次に乗るバス停まで歩く。信号が青になった。小雨《こさめ》が降っている。小学生の男の子が傘に入れてくれた。歩調を合わせなくてはと急いだ。とたん、前につんのめるようにして転んでしまった。

口から血が吹き出し、雨で濡《ぬ》れているアスファルトを、みるみる赤く染《そ》めた。あんまり出るので、このまま出血多量で死ぬんではないかと不安になって、この世の泣きおさめにワーワー泣いた。

角《かど》のパン屋のおばさんがとび出してきて、起こしてくれた。店の中までつれていかれ、タオルでふいてくれた。そして、車で近くの外科病院まで運んでもらった。

生徒手帳を見て学校へ電話してくれたので、受け持ちの先生がとんできてくれた。

手当てが終わってから、車で家まで送ってもらう。パン屋のおばさん、先生、アリガトウ。

亜也の唇《くちびる》はポンポンにはれあがり、前歯が三本も折れてなくなってしまった。ハンカチでふくと、まだ赤くついてくる。

わたしだって〝女〟です。ちょっと大きめの前歯が折れてしまい、醜《みにく》い顔になってしまったのです。

わたしの病気は、ガンよりひどい！

わたしの青春の美しさを奪った。

こんなへんな病気でなかったら、恋だってできるでしょうに、だれかにすがりつきたくてたまらないのです。

わたしは、もう〝イヤ！〟です。

薫《かおる》の君《きみ》（『おにいさまへ…』池田理代子）は、「愛しているから！」と言って、愛する人と別れたのです。わたしには、人を愛したり愛されたりする自由も許されないのですか？

夢の中では、歩いたり、走ったり、自由に動いているのに……。現実は、それができない。

奈々子が駆け出そうとする場面を読むと、こんなことできたらなあ、と思ってしまう。卑屈《ひくつ》かな？

転んだ時のことを思い浮かべて一日中寝ていた。K子さんから「大丈夫？」と電話。嬉しかった。しばらくは休まなければいけないだろう。

七時半起床。妹のアコちゃん、名古屋へお出かけ。あんまり可愛《かわい》かったので、イジ、ケ、ケちゃった。

早起きは三文《さんもん》のトク。ひとつしかないシュークリームにありつけた。生《なま》クリームが口の中いっぱいに広がっておいしい。前歯がないので食べにくい。とびださんように口をキュッとむすんで食べた。

明日から歯医者通い。早くもとの亜也になりたい。机の上の鏡は、引出しにしまった。


母と編物《あみもの》の本を読んでいた。小さいころ母が編んでくれた白いモヘヤのリング編みのワンピースが載っていた。

「お母さん、これ見て作ってくれたん？」

「うん、正月にこれを着て、へヤーバンドでおしゃれして、玄関で写真撮《と》ったよね」

わたしが健康だったら「あのころは……」と、昔話に花が咲くのだけど、悲しくなるのでそれ以上話は続かなかった。

将来について

将来について、母と話し合った。

母曰《いわ》く。

「先天的に目や体の不自由な人と違って、過去にやれたことがどうしても頭から離れない。どうしてできないかと悩みも大きいし、感情が先だってしまう。だから、いつも精神との闘いから始まる。側《はた》から見ていると機械的にラジオ体操しているような訓練も、実は精神との闘い、鍛練《たんれん》だよ。亜也、結果はどうあろうと、今を悔《く》いなく生きてこそ将来があるんじゃないかと思うよ。亜也はよく泣いている。そしてそんな亜也を見ているとかわいそうでならない。でも現実、今おかれている立場をきちんと理解して、これからの亜也の人生を充実させていかないと、足を地面につけた生き方が、永久にできなくなるよ。お母さんや弟妹は、あなたがどうしてもできないことには、惜《お》しみなく手を貸《か》してあげる。でも、意見を言ったり、けんかをする時は、ポンポン言うでしょ。あれは、亜也が人間的には何も違ってはいない普通の子であり姉であると思ってるからなのよ。だから、精神を強くする愛の言葉と受けとめるのよ。他人にグサッとくるようなことを言われても、耐えていけるように、これも訓練なんだよ。愛を知り、知を愛す、すなわち愛知県に生まれた亜也は、その県名からして、愛と知に包まれてるんだから……」

聞いているうちに、今の病状を冷静に受け入れた上で、将来の道を考えなければいけないと思った。

「図書館司書《しょ》になりたい。そのために大学へ行きたい。公務員の資格がとれるし……」

「お勤《つと》めに出ることは難しい。自宅でできる仕事を考えた方がいい。例えば、翻訳《ほんやく》を身につけるとか」

「小説も書いてみたいが、社会経験が乏《とぼ》しいから物にならんかもね」

「具体的にきめるのはまだ先でもいいから、今、できること、やるべきことに、努力！　努力」

「うん、わたしが頼れるものは、やっぱり学力だけなんだ」

友達

夕日を見ました。大きいまっ赤な……。

線香花火《せんこうはなび》が、ぽたっと落ちるように早く沈んでしまったけど、透《す》き通った明るさ。そりゃあ、きれいな色をしていました。リンゴの色でした。Y子ちゃんと、「きれいね」と言ったきり、絶句《ぜっく》。その夕日に照らされて、赤く立ち上《のぼ》っていく飛行機雲が見えました。

Y子ちゃんは、本当にいい人だと思う。

Y子ちゃんの家でいっしょに勉強したいと言ったら、きっぱり断《ことわ》られた。

わたしは、てっきりOKしてくれるとばかり思っていました。

もし、わたしがY子ちゃんの立場だったら、断りきれなくてOKしてしまい、マイペースで勉強できなくて、結局、後悔すると思う。

要《よう》するに、自己抑制《よくせい》が足りんのです。

体のハンディが、自己抑制ホルモンにつながっとると言ったら、逃避《とうひ》かな？

自分の思っていることを口に出して言える、それを聞いてくれる人がいるって、すごく嬉《うれ》しい。

友達って、対等《たいとう》につき合ってくれるから、ありがたい。

Sちゃんに、「読書するようになったのは、亜也ちゃんの影響よ」と言われた。

「ああ、よかった」。わたしは、彼女達に迷惑ばかりかけていたんじゃない……と、思ってもかまいませんよね。

「亜也ちゃん、この前ワンワン泣いたでしょ！　あの時すごく可愛かった」

「エッ、ほんと？　いやだなあ、そんなこと言われたの初めてよ。でもわたし、自分の泣いた顔を鏡で見たけど、あんまりよくないにィ」

「いや、顔は見えんかった。そいだもんで、可愛かった」

「わぁー　ドギツイ」

可愛かったのは、顔ではなく、ムードだったわけ。二人で大笑いした。

友達っていいな。いつまでもいっしょにいたい。

苦悩

サリドマイド禍《か》の女性が、健康な女児を出産した。足でおむつを替えたり、ミルクを飲ましたりするそうだ。喜んでいいのか、不安と心配が先立つ。

右足のアキレス腱《けん》が、硬直《こうちょく》したような感じがする。悲しくなってきた。

教室を移動する時が難儀《なんぎ》である。長い廊下や階段を、補助してもらったり、つたって歩いたりして行く。どうしても遅くなるので、時には友達も遅刻させてしまう。

また、弁当の時間も苦痛である。みんなは五分で終了。亜也は五分かかって、やっと一口《ひとくち》か二口《ふたくち》だ。おまけに薬がある。まに合わんと思った時は、スキッパラに薬を流し込み、周囲を見まわして、まだ食べてる子がいると急いで食べ始める。全部食べれたこと、今までに何回あったかな。せっかく作ってもらったのに、残すのはわるいけど、時間がないのです。

帰ってから残りを食べようとすると、

「コロにご馳走してやりん。亜也は夕食をたくさん食べればいいから」

〃ああもったいない〃わたしの弁当は、亜也＋コロみたい。

Y子ちゃんや、Sちゃんが、いつも影武者《かげむしゃ》のように、助けてくれる。

「迷惑かけてごめんね」

「友達だもん」

この言葉に救われる。

「友達は対等よ」。でも、そうばっかりでもない。特にわたしは、友達に、オンブにダッコしてもらわなければ、学校生活ができない。

先生達から、口をすっぱくして、「一人で歩くように努力しなさい」と言われるわけがわかったような気がする。

わたしの進む道は一つしかないのだ。

選ぶ権利などないんだ。友達といっしょの道なんて、絶対望めないんだ。

いっしょに行けるなんて思っていい気になっていると、自分の道もなくなってしまうから……。

どこかへ行きたいなあ……。

思いっ切り何かにぶつかって、気が狂うほどわめいたり、笑いこけてみたい……。

行きたいところ。

図書館、映画館、喫茶店《きっさてん》(隅《すみ》のボックスに座って、レモンスカッシュが飲《の》みたい)。

だけど、一人では結局どこへも行かれやしない。悔しくてさ、情けなくてさ、どうしようもなくて、わたしは泣くのだよ。

弱虫だね。仕方ないさ。わたしと泣き虫とは足かけ二年のつき合いだもの、ちっとやそっとじゃあ、離れてくれないよ。

今じゃあ、声を立てずに泣くことができるようになったし、ちょびっと泣いたくらいでは、鼻の頭が赤くなるだけですむようになったがね。泣くと疲れて、目は腫《は》れるし、鼻は詰《つ》まる、食欲はなくなるし、いいこと一つもありゃあせん……。

このごろは、みんなにつっかかっている。人間関係って複雑なんだよなあ。だれが悪いというのでもないのに、知らないうちに進行していく。わたしの病気といっしょだね。グスッ。

わたしの診断

感化神経症《かんかしんけいしょう》、涙腺故障《るいせんこしょう》、欲求不満症《よっきゅうふまんしょう》、男性恐怖症《だんせいきょうふしょう》、自信喪失症《じしんそうしつしょう》……。

大きい声が出せなくなった。腹筋《ふっきん》が弱くなったのか、肺活量が少なくなってきたのか、わからない。

行動半径が狭くなってきたせいか、自分が何を欲求しているのかよくわからない。

だけど、何かやってみたい。やりたくてどうしようもない。がんじがらめのわたし。

親切にしてもらうのが苦痛でしょうがない。

放課後にWCへ行く時、Y子ちゃんがついてきてくれた。そのために、十分くらい遅刻させてしまった。「ごめんね、すまなかった」という気持ちのあとから「悔しい、情けない、なんでこんなこと一人でできんのやろう」と、怒りが強くわいてくる。

障害者だって同じ心を持った人間だ。

耳が聞こえないのは不幸じゃない。不便なだけだ。

わたしは幸せになりたいから、普通の人と対等に勝負できるものを身につけなければいけないぞ！　お前はまだ十六歳《さい》。若いんだからがんばれよ！

ホームルームの時間に、役員と係の選出があった。クラス四十五名、係の選出四十四名。

わたし一人あぶれたと思うとつらくなるから、天使の仕事をしようと考えた。落ちてるごみを拾うこともできるし、窓を閉めることだってやれる。やろうと思えばやれることがいっぱいある。

わたしは病気に負けそうだ！

いや、負けるもんか病気なんかに！　どんなに気ばっても、明るくふるまおうとしても、まっすぐに歩いている先生、妹、弟、友達を見ると、自分が惨めになってしまう。

何か感動するものを求めて、一人でマラソンを見に行った。けど結局は苦しくなっただけだった。「走る」ことに哀愁《あいしゅう》を覚えた。友達が離れてしまう。不自由な体は大きなハンディだとしみじみ思う。

体育見学の時は、好きな本を読むことにした。

『おじょうさんこんにちは』（草柳大蔵）は、自分にとり入れられるところは真似したいと思った。

今、『ぼくは十二歳』（岡真史）を、自殺だけはしない、という心構《こころがま》えで読んでいる。

わたしは、考えなきゃあ生きていけないのです。〝どうにかなるさ〟って、言えないのです。

道を歩くのだって、どこをどう歩けば一番自分に適しているか、道順に無理はないか、掃除するにしても、自分にできる方法はないだろうか、能率的にやる工夫《くふう》は……

などなど、と考えてしまう。

自分でも亜也が気の毒になってきたよ。

でも半面、いいところだってあるもん！

そう思わなくっちゃ、やりきれん。


体が硬《かた》くなってきた。寒くなってきたからか、病気が進行してきたのか、つかまる物があっても、握らないと転んでしまうようになってきた。道路にはとても危なくて出られない。母が学校への送迎をするハメになってしまった。出勤の途中に、学校の中へ車を乗り入れ、私を降《お》ろす。げた箱の所まで母の肩につかまって歩く。わたしが上靴《うわぐつ》（みんなはスリッパ）にはきかえている間に、母は、カバンと弁当を、二階の教室まで走っておいてくる。

わたしは、手ぶらになって、手すりにつかまり、ゆっくり教室まで歩く。

授業終了後は、学校の向かいにあるお菓子屋さんで、六時まで待っている。お菓子屋のおばさんは、「店先の畳《たたみ》の部屋で、宿題したり、本を読んでおりんね」と言ってくれた。

部活で遅くなった子がたくさん店にくるので、ちょっとはずかしいけど、他に方法がないので我慢する。

今日も教室移動の時、転んだ。右のこめかみに、かすり傷を負う。

Sちゃんが助けてくれる。「アリガトウ」という前に、涙がでて言葉にならなかった。

空白の二時間（お菓子屋で待つ間）

おっそろしいことにこの二時間は、店にくる人の動きと、たわいない会話を聞くともなしに聞いてボケーッとしていなければならない。ああ時間がもったいない。

バス通学の時は、さすがにつらかったけど〝人間〟にふれあっていたような気がします。街路樹のポプラ、店先の果物《くだもの》など、季節を感じることもできたのに……。

〈わたしの後ろ姿〉

わたしは歩いていた（友人に支えられていたけれど）

わたしは視線を感じた
ただ　むやみやたらに緊張して歩いていたのです
見栄《みえ》とはったりのラベルをつけて
わたしの後ろ姿を見て　つぶやく声が聞こえました
「かわいそうに……。あの子　バカ?」

大きくなんかなりたくない

わたしがビービー泣きつづけると、母の口から切り札がとび出す。
「泣いて意思表示するのは、赤ん坊!　高校生の名がスタル!」
わたしは、よけい悲しくなって、ビェーとまた泣く（森の小羊と同じ）。

えみちゃんへ（従姉妹《いとこ》）
えみちゃん、亜也はなぜこんなに泣き虫なんでしょう。昔のように、なぜ無心に笑えなくなったのでしょう。昔にもどりたい!
タイムマシンを作って、それに乗って過去にもどりたい。走ったり、歩いたり、ころげまわったり、いっしょに遊んだころのわたしを見て……。しかし、また現実にもどるのです。

やっぱり、もどらなくてはならないのか？

大きくなんかなりたくない！

時間よ止まれ！　涙よ落ちるな！

ああ、本当に亜也の涙腺は壊《こわ》れてしまったようです。

もう午後九時です。世界中の時計を壊してしまっても、時は進んでいくでしょう。

生きている限り、時間は止められない。

あきらめるより仕方ないのです。


わたしは、道を歩くのが大好きです。

中一のころ、視聴覚《しちょうかく》センターから家まで五キロくらい歩いたことがあります。

道端《みちばた》に咲いている草花を摘《つ》んだり、青い空をながめたりして歩いていると、ちっとも苦痛ではないのです。自転車よりも、自動車よりも、歩くことが好きでした。

ああ、一人で歩くことができたらなあ……。

ある友達は、一人でいると自分が悪い子に思えて仕方がないという。また、ある友達は、一人でぼんやりしている時が一番人間らしい自分になれるという。

わたしは一人でいると……。一人でいるのはイヤ、一人はコワイ！

わたしの生きがいっていったい何だろう。

いつも助けてもらうばかりで何一つしてあげられない。わたしにとって勉強は、生きていく糧《かて》であるけれども、それ以上に大切な何かを見つけだすことができない。

たった三メートルの幅の廊下が渡れない。

人間は精神だけで生きていけないものか？

上半身だけで、歩くことはできないものか⁉

わたしは空気のような存在の人になりたい。いなくなって初めて大切な存在であったことがわかるような、ともかく優しくて、にじみでてくるような、そんな人格の持ち主になりたい。

席替えで、一番前の席になっちゃった。

授業に遅れた時は、どこをどう通って自分の席に着くか、滑走路《かっそうろ》をきめなくちゃあいかん。健康管理によほど気をつけんと、アクビがでて、鼻が詰《つ》まって、気持ちが悪くなっちゃうぞ。

おやつに焼芋《やきいも》を食べた。おいしかった。

まだ二時半というのに、日没の気配《けはい》がします。

知らぬ間に、家から見える稲荷山《いなりやま》の桜の葉もほとんど散ってしまいました。

そう言えば、学校の銀杏《いちょう》も紅葉《こうよう》していたっけ！　友達の肩や、廊下の壁につかまって歩くわたしは、上を向くと転ぶのです。

授業参観日だ。父兄がだれもこなくてよかった。わたしは、お母さん連中はどうも好かんのです。

あたかも「身体障害者がいる」という、そんな差別しきった目で、上から下までジロッと見られるから、悔しくて涙がでそうになる。

だれが好きでこんな体になるものか。夕食の時、思い出したら涙が出て仕方がなかった。

今さらメソメソしたって、どうなることでもないのにね、母上ゴメンナサイ。

保護者会で、母と二人で面接。数学をチートがんばれば、トップクラスに入れるって！　ガンバロウジャアナイカ、亜也ちゃん！

今、十一時。寝転《ねころ》がった半分のお月様が、東の窓ガラスを通して、ほほえんでいます。

電灯を消したら、お祈りができるかな。

健康な級友との生活で、どうしようもない屈辱感《くつじょくかん》を味わうことがある。

そりゃあ、つらいです。

でもね、裏を返せば、そうした屈辱感が勉強する原動力にもなっているのだ。

東高《ひがしこう》（愛知県立豊橋東高等学校）が好き、先生も好き、Sちゃん、Y子ちゃん、M江ちゃん、みんな好き。

お菓子屋さんで待っている時、チョコをくれた先輩も好き！

決断

母は、岡崎の養護学校へ見学に行ってきた。その話をしてくれた。何だかよくわからんけど、無性《むしょう》に泣けてきた。

妹はテスト週間で、ガリガリ勉強しています。わたしはポカンとしています。

頭の中に渦《うず》まいているのは、養護学校のことです。

はっきり言って、東高で三年までいることは無理だと自認《じにん》しています。

養護学校は、わたしにとって未知の世界です。コロンブスやガマも、未知の世界には、四つの希望と六つの恐怖を抱いてとびこんだことでしょう。


〈希望〉

一　将来の見とおしがつく。
二　自分の生活がおくれそう。

三　施設とか制度が充実している。
四　障害者同士の仲間ができる。
〈恐怖〉
一　人間性が縮小されはしないか。
二　共同生活がうまくいくか（寄宿）。
三　東高の友達と別れること。
四　世間の目（養護学校という言葉の響き）。
五　男の子。
六　家族の変化。
わたしが寄宿舎生活をするようになったら、幼い妹は、亜也のこと覚えていてくれるかしら。そして、弟も、時々でいいから思い出してくれるかしら……（自殺する前ぶれみたい）。

Sちゃんは、自宅が遠方で通学できないから、高一の時から下宿しています。理由は、わたしとは違うけど、寂しさはよくわかります。

大きなハエが、窓のところで、ブーンブーン飛んでいます。冬のハエは殺さんといかんのです。けど、夏になったらいっぱい赤ちゃんが生まれるんだと思ったら、〝生〟の神秘さを感じて、殺せなかった。

窓から、新校舎の方をじっと見ていた。

「ああ、これが東高なんだ」と、感慨無量《かんがいむりよう》になった。

ふっと空を見上げたら、白いお月様がいらしたの。

「好きで病気になったんじゃあない。体が不自由でも残されたものはたくさんある。もし、亜也が考える能力もない人間だったら、病気になって初めて知った人の温《あたた》かさ、優《やさ》しさに触れることはできんかったんよ」と、母。

Sちゃんと大池のほとりの日だまりで、渡り鳥の鳴き声を聞きながら話した。

「亜也ちゃんって変わっとると思うよ。『空が青くてきれいだね』なんて感激して言えるもん。心が繊細《せんさい》だよ」

と、Sちゃんが言う。

「いっしょにいて、心のなごむ人っている？」

と聞いたら、

「うーん、妹か弟かな。だって威張《いば》れるもん。でも、やっぱり一人の方が一番なごむ」

Sちゃんは、自分で選んで一人の生活をしている。引きさかれて一人になる亜也。

このちがい……。


〈八重歯のある三年生の女の子〉

生物部に、ネズミが大好きな三編《みつあ》みの女の子がいます。その子といっしょに図書館まで歩いたのよ。

補助してもらわなくても、一人で歩けた！　ゆっくりだけど……　彼女は歩調を合わせてくれた。

彼女は、家で四十匹もネズミを飼《か》ってるんだって。最初に飼ったネズミのことを話してくれた。

「名前は〝ナナ〟。メスだった。乳《にゅう》ガンで死んじゃったの。ネズミは病気をするとだんだん人間のようになっていくのよ。そして死んじゃうの。動物が死ぬっていうの、イヤなもんよ」

わたしは、彼女については何も知らない。先生や先輩に聞けばわかるけど、わたしは彼女の話の中から彼女を知りたい。だから、聞こうとも思わない。

彼女とまた、話ができた。

彼女は、サッちゃんと呼ばれてるんだって。

彼女の家族は、お父さん、お母さん、妹、ネズミ四十四。

彼女の専用の庭にネズミのお墓《はか》があり、そこに忘れな草を植えるんです。忘れな草のことをフランス語で直訳すると「二十日《はつか》ネズミの耳」ともいうそうで、それは、二十日ネズミの耳が忘れな草の葉に似ているからだと、サッちゃんは教えてくれました。

「ボク（サッちゃんは女の子なのにそう言うのです）は、人が死ぬと、ああ自分が死ぬ代わりに死んでくれたと思うことにしているの。キミ（亜也のこと）は足が悪い。だからその分、ボクはまじめに生きなきゃあいけないと思うの」

サッちゃんは続けて言った。

「ボクは、超能力って信じるよ（わたしは合の手を打つ）。アメーバから見たら、ボク達人間は超能力者だし、目の見えない人から見たら、見える人なんて超能力者じゃあない？」

サッちゃんは、あくせくしてないもん、好き！　でも、サッちゃんも亜也も、来年は東高にいない。

GC（英文法・英作文）の時間、Kちゃんが、「悔しい」と言って、泣いた（テストの点数が悪かったので）。

先生は、逆上して、「泣くナ！　泣くくらいなら初めから努力すればいいんだよ」。

こわかった。わたしは、いくら悪い点をとっても、あんなふうに叱られはしないもの……と思うと悲しかった。

Sちゃんと、運動して暖かくなった体験談を話した。

「何といったって、おしくらまんじゅうよ」

「サッカーやバスケットだって、ボールさわらんでも、ただ走っとりゃあいいもん」

今では、できもしないことをあれこれ吹聴《ふいちょう》する自分が恥ずかしかった。

映画『野のユリ』をテレビで見《み》る。

神の存在をわたしは信じる。神はわたしをおためしになっているのだ、と思ったら、急に心が晴れ晴れとした。この気持ちを何とか忘れずにいたい。


正月がもうすぐくる。

今年一年間、たくさんの人にお世話になりました。

来年は、わたしにとって精神革命の年になりそうです。それは、今の亜也は、自分のことを重度身体障害者だって、素直《すなお》に認められないからです。

こわいし、いやなの。

だけど認めないわけにはいかなくなるでしょ！　養護学校へ行けば……。

養護学校のことを考えると、こわいんです。

確かに、身障者のわたしにとっては、最適なところかも知れません。

でも、わたしは東高にいたいんです。

みんなといっしょに勉強したいんです。

いろんなことを学んで、でっかい人間になりたいんです。

健康な同級生が、周《まわ》りからいなくなってしまう世界なんて、考えたくないんです。


母は、時おり、養護学校のことを話してくれます。亜也は、時間がかかっても、自分でやりとおすことができる。やってもらう立場から、やってあげる立場になれる可能性があること……など。

今、重大な岐路に立ち、そして、その決断が、わたしにせまっています。

革命

「養護学校へ行きます」と、私は自分できめて行きたかった。

三学期までに、東高とふんぎりをつけようと、自分に言い聞かせてきた。

〈述懐《じゅつかい》1〉

N先生、わたしは今日まで先生を尊敬もし、信頼もしてきました。こんな形でThe Endなんて何とも胸クソが悪い。

わざわざお母さんに、「教室移動の時間が長くなっている」と遠まわしに言わなくとも、ズバッと、わたしに向かって、「お前は東高じゃあ面倒みきれんで養護学校へ行け」と言ってくれた方が、どんなにか気持ちの整理がつくか……。

ジロジロ眺《なが》めるのはやめて下さい。

それにしても腹が立つなァ。

「あれからお母さん、何か話した？」だって！　まったくしらじらしい。

先生は、なぜ直接、わたしと話し合ってくれなかったのですか。

今日も明日もくり返す難儀《なんぎ》な生活だけど、わたしが気持ちよく去ることができるよう、なぜ先生はわたしの話を聞いてくれんかったのですか。もし、そうして下さっていれば、二年生から転校しますと、素直に言えたのに……。

四月から、いやでも養護学校へ行くつもりでいたのに……。最期《さいご》は、いさぎよく討ち死にするつもりでいたのに……。それもできず、このまま悔しい気持ちで去るのは、何が何でも悔しい。

〈述懐２〉

Sちゃんと話する。

「養護学校に行けば、亜也ちゃんは特別ではなくなる。だから、教室移動やそうじやら、今までのような苦しい思いをしなくてすむのよ。でも、早くやろうと思えばできるんだから、努力してみれば?」

ガガーンと、刀《かたな》が突きささった。

Sちゃんの九九%の優しさと一%の刀で、友情を保つことができる。

だから涙はでなかった。大きなショックをうけると副交感神経が、マヒするらしい。

Sちゃんは、わたしに「考えろ」と教えてくれた。

わたしは、生まれ変わりました。

身障者であっても、知能は健常者《けんじょうしゃ》と同じつもりでいました。

着実に一段ずつ上った階段を、踏みはずして下まで転《ころ》げ落ちた、そんな感じです。

先生も友達も、みな健康です。悲しいけど、この差はどうしようもありません。

わたしは東高を去ります。

そして、身障者という重い荷物を、ひ、と、り、でしょって生きていきます。

こう決断を自分に下すのに、少なくとも、一リットルの涙が必要だったし、これからはもっともっといると思います。

耐《た》えておくれ、わたしの涙腺《るいせん》よ！

負けて悔しい、花いちもんめ

悔しかったら、やればいいじゃん。

負けとったらいかんじゃん。

正月が過ぎて初めての通院日。山本先生と話して、心が落ち着いた。そして、やるぞーっという気持ちがわいてくる。

養護学校への転校のことを、母が手短に話す。

先生は、教育委員会に聞いてみるとおっしゃった。

わたしは一瞬、ヒョッとしたら、とわずかに望みをもったが、すぐにシャボン玉のように消えた。

この数日間、目まぐるしく起こった革命が、頭の中に浮かんだから……。

オマエ（自分）は、人に甘え過ぎていたのだ。

今やっと気がついた。

オマエは人に頼り過ぎていたのだ。だから、友達は疲れてしまったんだよ。気がつくのが遅《おそ》過ぎた。


久しぶりに家族そろって〝あさくま〟（レストラン）で外食した。母が弟妹に、わたしが養護学校へ転校することを話した。だんだん怒れてきて、

「もう、わかっとるで言わんといて」

と言ってしまった。

「転校するのは亜也だけど、亜也一人のことだけではないよ。家族の問題は、みんなで考えて、助け合ったり、励《はげ》まし合ったりして、みんなでがんばろうねという気持ちのつながりが、大事なんだよ」

と母は言った。

一度は裸にされた方が楽になる。気負《きお》いも感じなくていいと思いなおした。

ハンバーグステーキがとてもおいしかった。デザートのアイスクリームもペロッと

食べた。
W君、O君、D君、わたしなんかに挨拶してくれてありがとう。とっても嬉しかった。
M君、カバン持ってくれてありがとう。
H君とも、「おはよう」と言えるようになったのに……。
長かった一年間。
みんなと過ごした一年間、とても楽しかった。もう覚悟はきまりました。
さよなら。いつまでも元気で……。

教室の机ふくとき楽しきは落書きみつけ人のよき知る

気持ちの整理

二年のクラス分けが発表された。名簿にわたしの名前は、もう見あたらない。
覚悟はきめたつもりでも、やっぱり寂しい。健康でありさえすれば……。

いい加減に立ち直れよ！
いつまで、へたばっているのだ！
自分の病気は、自分で治す気にならんといかんのに……。
筆記能力低下、これも病状進行のあらわれか！

いいじゃないか転んだって
また　起き上がれば　いいんだから
転んだついでに仰向《あおむ》いて　空を見上げてごらん
青い空が　今日もお前の上に限りなく広がって
ほほえんでいるのが見えるだろう
お前は　生きてるんだ

友人の前で泣いてしまう。
クラブの先生に、「学校やめるの？」と、もろに聞かれて悲しくなっちゃった。

でもねえ、お前は泣いて気持ちがいいかい？　周囲の人を、いやな気分にさせちゃうし、自分自身もむなしいだけだろ！

だったらやめなよ。メソメソさんより、にこにこさんの方が可愛いよ。

それから、言いたいことがあったら、どんどん言ってしまえよ。泣く前にな！


今は非常にむなしい気分。

風呂にも入らず、もう寝ます。

明日は、養護学校へ面接に行きます。

それなりの覚悟をきめて——もう泣くなよ。


どうかしてでっかい人になりたいと祈りし願う吾《わ》が面《おもて》をみゆ

養護学校——暗いイメージを持つ名前、もっとほかの言い方はないのかなあ。

学校には〝養護〟があっても、養護の社会はないのだから……。

先生と面接。

「このくらいの障害だったらもう少し東高でがんばれると思うけど……。授業を受けるのに支障がなければ、なんとかならんのかなあ。養護学校だと学力の程度は、やはり平均が低いから、そこがものたりなくなりはしないか」

〃もうそんな話はやめてほしい。なぐさめなんか聞きたくない〃

と心の中で叫《さけ》んだ。

病院の山本先生が教育委員会へ問い合わせしてくれた時も、一縷《いちる》の希望をもった。が、結果は、校長の判断にまかせてある、との回答だった。

母は、「東高では預かれん、と言われたのですからいたし方ありません。ここへ到《とう》達《たっ》するまでの本人の気持ちを考えると憤《いきどお》りもありましたが、希望を持たせて新たに出発させたいし、本人も決心したのです。処遇《しょぐう》について再燃《さいねん》させるつもりはありませんから、転校を前提として話をすすめて下さい」と言った。

正直言って、東高への執着は心の中にあったけど、母の言葉《ことば》を一言《ひとこと》一言かみしめて聞いていて、わたしの気持ちも、はっきりと母と一体となった。お母さんがわたしの支《ささ》えになってくれている限り、わたしはがんばるよ。神さま、わたしはやっぱり母に従います。母の行為に深い愛を感じたから……人間性をみがき、きたえて行こう。

帰りに岡崎のえみちゃんの家へ寄る。

電話しておいたので、おばちゃんがご馳走《ちそう》を作って、みんなで待っていてくれた。腹いっぱい食べたら眠たくなってしまい、勉強どころではなかった。

最後の期末テストは、悔いなくがんばろうと思ったが、あまりにもいろいろなことがありすぎた。勉強していても、集中力に欠けてしまう。

教室に飾ってある〝ボケ〟の花。朱色がとてもきれいな花なのに〝ボケ〟なんて名がどうしてついたのだろう――なんてテスト中に考えてしまうんだもの。

素子《もとこ》先生は、

「養護学校へ行くか、東高へ残るか、それを最終的に決断するのはあなた自身よ！それが生きていくということなんだから」

とおっしゃった。

「東高にいたくても、学校生活に無理があるからと言っておいてくれないから、養護学校へ行くしかないんだよ。わたしがきめるんじゃあないわ。先生の言い方は、かっこいい言い方よ」

と思った。

素子先生は、続けておっしゃった。

「一　清潔にしなさい。障害者は不潔だなんて思われんように、人一倍自分にきびしくすること。

二　今の友達を大切にね。

三　将来、タイプをマスターしたら。

四　東高を忘れないでほしい」

先生の言葉《ことば》と自分の思い（先生には言わなかったけど）を、くり返しくり返し、心の中でつぶやいてみた。

わたしをまんなかに、周囲の人が輪になって、養護、養護と、ジリジリにじりよって攻《せ》めてくる。わたしは養護学校しか行くところがないんだと、無理に自分に言いきかせ、必死で気持ちを落ち着かせ、転校を決断した。

養護の話題がでてからの、数か月を振り返ってみた。

感情では決断したけど、理性的には何一つ整理されていないことに気がついた。だから、気持ちがいつも揺《ゆ》れ動いてしまうんだ。

聖書を読んだ。イエスさまの御言葉《おことば》を感情的に受けとめると……冷静に考えると……（ごめんなさい、神さま。わたしは信仰がたりません。敬虔《けいけん》なクリスチャンになることは、甚《はなは》だ難しい）。

そうです。足を地面につけて冷静に、理性的に考えてみます。

〈東高にいてプラスになること〉

一　亜也のようなこんな人間もいるということを、共同生活の中で知らせることができる（助けあう精神をつちかう）。

二　健常者《けんじょうしゃ》と不自由な自分を比べることによって生じるコンプレックスが、がんばろうという原動力になる。

三　先生や友達から、たくさん学ぶことができる。

〈マイナスになること〉

一　きめられた時間についていけない。

二　友達、先生に甘えてしまう。

三　友達が限られてしまい、大きな輪の中へ入っていけない（行動範囲の狭さ）。

四　そうじなどできなくて、みんなに負担をかける。
〈養護学校へ行ってプラスになること（想像だけど）〉
一　自主的に生活できる。
二　負担を軽くする（周囲の人に）。
三　将来の見通しが立てられる。
四　生活技能が身につく。
五　同じ障害を持つ者同士で人格を高めていける。
〈養護学校に入ってマイナスになること〉
一　障害について甘えがでないか。
二　健常者の友人と接することができない。
三　勉強の程度がおちる。

お別れ

終業式まであと四日。千羽鶴をわたしのために折ってくれているようだ（あくまで予感）。

Iさんや、Gさん達が、一生懸命折ってくれている姿を瞼《まぶた》の裏に焼きつけておこう。たとえ別れても、決して忘れないために。

千羽鶴を折って、わたしの幸せを願ってくれるのは嬉しい。

でも、「亜也ちゃん、行かないで」と言ってほしかった。

そう言われるように、これまで努力しなかった自分と、言ってくれなかった友が、憎《にく》たらしくてたまらない。

だけど、素子先生との約束（友人を悪く思わないこと）を守って、口には出さなかった。

母に言ったら、

「もう過去のこと、忘れなさい。振り返ってばかりいては、ちっとも前へ進まんよ。三歩進んで二歩さがる、じぃ〜んせぇ〜いは……」

と歌い出したので、思わず笑ってしまった。

友達から、ソテツの実をもらう。

だいだい色なの。好きだなあ、あったかい色だもの。

素子先生と最後の話をする。ぐちを聞いてもらう。

「そんなに自分をいじめなさんな。人生、勉強だけじゃあない。勉強だけでポイッと社会に放り出されたら、あなたには何ができる？　いわば、勉強はあなたにとって逃げ場だったと思うの。カバンを持つことも、お茶碗を洗うのも、みんな避《さ》けて、勉強だけしてきたのではないかしら？　だから、狭くなっちゃうのよ、革命を起こさなくちゃあ。唯一《ゆいいつ》救いに思うのは、一年でも普通教育を受けてきたということ。養護学校には、ずっと病院生活という子だっているのよ。そういう子と比べると、少しは世間の荒波にもまれたのだから、甘えてばかりじゃあいけないということがわかると思うの。あなたは十六歳《さい》にしては、幼稚すぎるところと、妙《みょう》にませたところがある、アンバランスな人間よ。それは十六歳としての十分な経験を積んでいないからだと思う。今からでも遅くないからがんばってみなさい。東高で得ることのできなかったことを、養護学校で、いっぱいつかんでおいで。いたずらだってすればいい。できるわよ。東高のみんなにとっては、あなたがいてくれた方がいいのよ」

わたしは、いい先生にめぐり会えて幸せだと、つくづく思った。先生には、「行ってきます」と、笑顔でお別れしよう。

テストが終わったら、終業式までオヤスミ。

この一年間、よき友、よき補助者になって、わたしを支えてくれた友人を自宅に招待して、ささやかなパーティを、両親が計画してくれた。

ポーカーや五目並《なら》べをやったり、おしゃべりをいっぱいした。

Sちゃんがコーヒーカップ、Y子ちゃんがオルゴール（鉄道員）、A子ちゃんからはドライフラワーをもらった。

母は、

「亜也のぶんまでがんばって勉強してね。この万年筆を見ては時々亜也のことを思い出してやってね」

と、友達とわたしに一本ずつ手渡《てわた》した。みんなシーンとした。いよいよこれでお別れと思ったら、グーッとこみ上げてきそうだったけど、必死《ひっし》で我慢《がまん》した。泣いて別れることだけは、しないでおこうときめていたから……。

楽しいひとときだったけど、みんなの帰ったあとはやっぱり悲しくなって、オイオイ泣いた。

反省

来《き》た！　とうとう、三月二十二日がきてしまった。

淡淡《たんたん》とした式が終わり、教室へ入った。

半紙に〝別れの言葉〟をみんなで書いてくれた。

「亜也をいろいろ助けて下さってありがとう。一生忘れません。新しい学校へ変わりますが、がんばってやります。皆さんも、亜也という体の不自由な子がいたことを忘れないで下さい」

と大きな声で言いたかったが、涙腺故障《るいせんこしょう》で涙がとまらんくなって、言えなかった。


Sちゃん、Y子ちゃん……。

〝亜也ちゃんの世話が重荷《おもに》になる時がある〟と、先生から聞いた。どうして気がつかなかったかと、全身の血がひいてしまいました。いつも自分のことだけを考えて、必死でした。みんなを疲れさせてしまったこと、全面的にわたしが悪かったのです。

ああ、これ以上、何も言うまい！

過ぎ去った日のことは、もう十分反省したはず……。

七夕さまの短冊《たんざく》に、「普通の子になりたい」って書いたら「どこが普通の子と違うの？」と妹に怒られた。

「どうして、本当のこと書いたらイカンの！」と、反抗したっけ！

自分のことって、わかっていてもなかなか障害者と認めにくいもんだなあ、と、つくづく思った。

直訴《じきそ》

山本纊子《ひろこ》先生のプロフィール。

小柄《こがら》でメガネをかけ、髪の毛は短くカットしている。いつも白衣《はくい》を着ているけど、イヤリングとか、指輪とか、目立たないおしゃれがとてもさわやかで、清潔感がある。

名大病院に入院中から、わたしの主治医です。藤田（名古屋）保健衛生大学にかわっていかれた時も、連絡して下さったので、先生についてわたしも転院した。

頭の回転が速く、何をやるのにも手早く、確実性があるし、自分の車にわたしを乗せ、他の大学へ検査につれていって下さったこともある。その行動力は素晴らしい。

「先生はどこの高校だったの」

と聞いたら、

「明和《めいわ》よ」

とあっさり言われた。

秀才の多い学校であることは、わたしも知っていた。それから名古屋大学へ入ったんだって！　ちっともえらぶっていないし、温《あたた》かいから亜也は大好きだ。先生の前では、亜也のグニャグニャした態度は許されない。


通院、入院と一年半近く治療《ちりよう》してきたが、病気が少しずつ進行していることは、自分でもよくわかる。

小脳の細胞が破壊《はかい》されていくのか、体全体がぎこちなく、ますますもって足がつっぱり、膝《ひざ》が曲がりにくく、まねきが悪くなってきた。言葉も一語《いちご》一語区切るような話し方しかできず、大きい声がでない。笑い声もワッハッハと言えず、ワーワーになった。誤飲《ごいん》も相変わらずよくある。舌《した》の運動も奪われはじめた。

こんど病院へ行ったら、「亜也の病気は将来どうなるのか、はっきり隠《かく》さず言ってほしい」と、先生に聞こう。

聞くのはこわいけど、しっかりと見極《みきわ》めなければならない。その答えによって、自分で立てた方針の見直しが必要かどうかをきめる。

〈現在の将来の予想〉

(高一)(高二)(高三)

東高→養護→養護→自宅で仕事(留守番・家事)

↙東高↘

東高へ復帰するのは無理かも知れないけれど、高二の生活をひきしめるためにも必要なこと。

買い物

母が、あちこち電話していた。

「亜也をつれて、みんなでユニー(ショッピングセンター)へ行こう。あそこは車椅子があるってたから、亜也も行けるよ」

と大声で階段の下から叫《さけ》ぶ。

みんなが家にいる春休み。仕《し》度《たく》の遅いわたしをやっと車に乗せて出発。十五分くらいでユニー到着。

愛用のポシェットを首からかけて、妹の押す車椅子にドカッと乗って、衣類売場をゆっくり、キョロキョロしながら押してもらった。

わたしにとっては、すべて珍しい物ばかり。

きれいなスカートがあった。はいてみたい。いつも這《は》うので、膝が痛いためズボンばかりのわたしの憧《あこが》れだ。勇気をだして、指さしました。

「一枚あってもいいね。だんだん暖かくなるもんね」

と、母は買ってくれた。

すごく嬉しかった。花柄《はながら》のプリント地のスカートに、白いレースのブラウスを着て、スィーと立ったら、みんなは可愛いねっと言ってくれるかしら。一度でいいから、そう言われてみたい。

寄宿舎へ入るため、下着や靴下、タオルケットなど、紙袋いっぱい買った。

急に悲しくなった。あと数日で寄宿舎へ入るんだ。家族とも別れて生活するんだ。泣かないと覚悟したのに、どうしても泣いちゃうんだよ。強くおなりよ。何ごとがあっても平気で、すうっと流せるような、でっかい人間におなりよ。

車椅子《くるまいす》

「亜也、自家用車を買ってあげるからね」

と母。

「エエッ!?」

母はゆっくり話し始めた。

「廊下は手すりがあるけど、横断する時は、危ないよね。立っている姿勢から、座って這《は》って横ぎり、また立つ、これでは急いでいる時はあせるし、動作を変える時よく転ぶしね。一人で外へ行きたくても行けない、そんな時に電動式車椅子だったら、腕《うで》の力がなくても楽に動くし坂道だって平気だよ。時速五キロくらいだから歩くのと同じくらいの速度で危険はないし、操作も簡単《かんたん》だし、最適よ。ただし、横着はいかん。車椅子に頼ってはいかん。自力で動くこと。サボったらいかん。あんた、ちゃんと訓練やっとるん？」

ときた。

わたしは、

「外へ自由に行けるんだ」

と単純な喜びで、世界がいっぺんに広がった気持ち！

一人で自由行動がとりたかったんだ。

本の題名をメモして、「買ってきて」と頼まなくても、あの本この本と、本屋さんで手にすることができるなんて夢のようだ。

よし！　養護学校へ行くまでに、操作をマスターして、外出してみよう。

自動車会社の人が車椅子を持ってきてくれた。組立を見ていた。下の方にバッテリーが二つ並び、モーターで輪が動くようになっている。

「亜也、乗ってごらん。この棒を握って前後左右、動きたい方向へ動かすだけよ」

座ってみた。少し前へ倒すと、ゆっくり前進した。小さい音をたてながら動く、そして、回る。一生懸命に練習していたが、しばらくして、持ち前のいやな性格、涙がでてきた。

母が、

「どうしたん」

と聞く。

「久しぶりに自由に動けて嬉しいの」

と答えたが、心の中は複雑で、うまく言えなかった。

本屋へ行けるようになるまで練習しよう。窓の外を見ると雨が降っていた。

台所の床ふき、トイレの掃除と、とってもよく働いた。何かエネルギーをぶっつけてみたかった。

勉強は、はかどらない（まだ学生根性はなくなってないぞと、ほくそえむ）。

車椅子のことを、幼い妹はイスといい、父は車という。二人合わせて車イス！

高一の時、病院の廊下に並べてある車椅子で妹が遊ぼうとしたら、母は、「車椅子に乗って遊んだらいかんよ、車椅子しかのれん人をブジョクすることになるから」。

わたしはいまだにその言葉が忘れられない。

『夜と霧（ドイツ強制収容所の体験記録）』の中のアウシュビッツ収容所の人達と、

障害者の自分と、すぐに結びつけて考えてしまう。だんだん無感覚になっていくとこなんか、似ているもん。

障害者の仲間《なかま》

自然に集まった障害者の仲間「たんぽぽの会」の人達が、喫茶店へつれて行ってくれた。「バロック」という店で、チェンバロが置いてある。「こんど、ひいている時にきてみたい」と言ったら、山口さんはニコッと笑った。

純ちゃんの家へ寄った。彼女は耳が聞こえないけど、手話で積極的に話をする。

純ちゃんの表情は、とっても可愛い。

手話も少し覚えた。もっと上手になって、純ちゃんと心の友人になりたい。

彼女のお母さんは、わたしの母ととても感じが似ている。

〈仲間から教わったこと〉

一　障害者って、いじけてばかりいたらいつまでたっても自分を変えることができんぞ！

二　なくなったものを追い求めるよりも、自分に残されたものを高めよ。

三　頭がいいなんて思うなよ、自分が惨《みじ》めになるだけだからサ。

転校＝寄宿舎生活

所帯《しょたい》道具一式を車に積んで寄宿舎入《い》りをした。ほかの子達も、新学期を迎えるので帰ってきた。大きな部屋が教室のように並んでいる。部屋の中は、真ん中に廊下があって、左右に分かれて畳《たたみ》が敷《し》いてある。

備えつけの机、スタンド、物入れが、一人ずつそれぞれ区分されている。押し入れに一番近い所が、わたしの城だ。

母は、「これは今いらないから上の戸棚《とだな》、これはいつも使うから近くにおくね」と言いながら、居ごこちよく整理してくれた。

わたしの他に数人の子がいる。やはりお母さん方が、もくもくとかたづけている。だれもわたしを意識していない。いいことか、わるいことか……。

「早く東高を忘れて、岡養《おかよう》（愛知県立岡崎養護学校高等部）の生徒になりなさい」

鈴木先生がおっしゃった。

〝早く忘れる〟ために、わたしは、東高の校章と級章をとりはずし、引出しの奥深くしまった。

足がほんとに前に出にくくなった。廊下の端《はし》についている手すりを必死に握りながら、「こわくない、こわくない」と言い聞かせた。「もしかして、わたしはもう……」悲しいことを考えて、ホロリとしてしまった。

「人間は歩くようにできとるんだ！」

B先生の言葉がとんできた。

共鳴《きょうめい》！　共感《きょうかん》！　独歩《どっぽ》の宣戦布告《せんせんふこく》！　新高山《にいたかやま》ノボレ！

教室へ行く途中、転んで泣いているところにA先生が通りかかり、「悲しいか？」と聞かれた。「悲しいより、悔しい」と答えた。

人間はなぜ二本足で立って歩くのだろう？　遠ざかる友人のさっさと動く足を見て、あたりまえのことに疑問を抱いた。

歩くって、本当に大変なことです。

ここに来てよかったと思います。

窓の下で野球をやっている子供たちを見て……。

廊下で、先生と相撲をとっている子供たちを見て……。

でも、馴《な》れてくるってこわいね。気持ちが宙ブランになることがあります。

東高の生徒じゃあない、という自覚は持ててきました。けれど岡養の生徒であるという実感がわかないのです。

知らない人に、「どこの学校の生徒？」と聞かれたら、わたしはどう答えるだろうか？

葛藤《かっとう》

A先生に、

「腰を伸《の》ばして歩いたら、さっさと歩けるようになって、先生が喜んでくれた夢を見た」

と教室で話した。先生は、

「今までは勉強のことだけを考えておればよかったけど、洗濯や当番があって大変だろう」

そして、こんな話をしてくれた。

「筋ジス（進行性筋ジストロフィー症）の子が、こんな詩を書いている。『神様は僕に障害をお与えになった／なぜなら／僕には／それに耐える力があると信じたから……』。何かここまでくると、ヒットラーみたいだけどね」

わたしは言った。

「ダケドネ、先生、わたしだって事実そう思ったことがあるのよ。自分を突然変異だと考えたり、自分は多くの人びとの犠牲のうえに立って、今ここに存在しているなどと、とんでもないことを思ったりしたよ。そして、いろんな方法、いろんな考え方をして自分を慰めてきたんです」

雨あがりの虹がとてもきれいに輪をかいているのが、窓から見えた。急いで車椅子に乗って外へ出た。

T君が、

「車椅子に乗れる人っていいね」

と言う。

もォー、わら人形じゃ、呪《のろ》ってやるう!

よほど、

「あんたは、歩けるでいいじゃん」

と言ってやろうと思ったけど、きれいな虹を汚《けが》すようで言えなかった。

毎週土曜日には、父か母が迎えにきてくれる。一泊《いっぱく》して日曜の夜また帰る。

いつも、どこかに生傷《なまきず》を作っているわたしを見て、

「よく転ぶの?」

と母が聞く。

「時間に追われ通しなの。のろいから、朝四時に寮母さんに起こしてもらって、勉強してるの。でないと一日の仕事ができないから……。でも急ぐとよけい硬《かた》くなってしまって転んじゃう」

と答えた。

できるだけ〝歩こう〟の精神で、車椅子は外へ出る時しか乗らないようにしてきたが、急ぐ時、遠い図書室へ行く時は、車椅子を使って、時間をつくり出そう。

車椅子で登校しよう（本当は、車椅子に乗ると、「もうだめだ、わたしは歩けない」と思ってしまうことの方が悲しい）。

寮母さんと廊下で会う。

「おはよう」

「おや、車椅子で行くの？　ラクチンでいいわね。亜也ちゃん！」

胸がつまって息ができなくなるくらい悔しかった。何がラクチンだ！　歩きたいのに、歩けなくなったと苦しんで、苦しみぬこうとしているのに、好きで車椅子に乗るとでも思っとるんですか！　楽《らく》したいから車椅子に乗るとでも思っとるんですか！

頭をかきむしりたい気持ちになる。

わたしの病状が一歩後退したのか、母の白髪《しらが》が目立ってきた。

障害者を理解するっていうこと

五月晴《さつきば》れって気持ちがいいなあ。

今日は小運動会。そして母の日。もう一つおまけに妹のバースデー、おめでとうさんの日。

岡崎に住んでいる従姉妹《いとこ》のえみちゃんに、見にきてほしいと電話した。

わたしがどんなに必死で生きているかということを彼女に知ってもらいたかったから……。

えみちゃんとは、小さい時から仲良しで、いっしょのフトンで寝たり、夏休みや冬休みがくると、両方の家を泊《と》まり歩いた。

白いブラウスにフレアースカート、くせっ毛に金色のピンをつけ、ハイヒールの赤いつっかけ、長いまつ毛の大きな目の彼女は、高三とは思えないほど素敵《すてき》だ。そして、ボーイッシュで、男の子と間違えられる妹のかおりちゃんと二人できてくれた。

運動場の隅《すみ》に、ひっそりと、クローバーが茂《しげ》っています。

三人で座りこんで、四ツ葉のクローバーをさがしました。

母に幸福をさがしてあげたいと思ったからです。

「四ツ葉のクローバーあるかしら」

とえみちゃんが言いました。

わたしは、さっきから考えていたことを話しました。

「ねえ、四ツ葉って、三ツ葉の奇形でしょ？　幸せって奇形のことかしらネ……」

えみちゃんはちょっと考えてから、

「珍しいからでしょ」

そうですよね。だって幸せなんて、そう簡単に見つかりはしませんもの。だからやっと見つけた時、さがしてよかったって、幸せを感ずるんですよね。


今日、転んで怪我《けが》をしたのです。そいで泣いちゃった。もっと強くならなくっちゃあ。

朝、急いでいたのか、あせっていたのか、足を出そうと思ったのに、足が出ず、当然のごとく、体が前のめりになって、手すりにつかまったけど支えきれなくて、ドテーン。

担架《たんか》で保健室に運ばれていく時、渡り廊下のところで、青空がちょっと見えた。

〝ああ、寝ころがって青空を見るのは久しぶりだなあ〟と思ったの。

保健室で寝ている時も、窓から空が見えた。

青空に、白い雲がとてもきれいに流れていた。

そうだ、行きづまった時は、空を見ることにしよう。

坂本九ちゃんの、

「上を向いて歩こう／涙がこぼれそうになるから……」

そうだ、その調子その調子。そして、一時間ぐっすり眠ったら、気分がよくなったので起きてトイレに行った（洋式を利用している）。

ロダンの「考える人」は、トイレに座っていて思いついたのではないかと、現場で感じた。


自分ののろさに、参ってしまう。

昨日《きのう》は図書係だった。二階の渡り廊下を二十分かかってようやくたどり着いた。でも、だれもいない。間に合わなかった。半ベソをかきながら『シートン動物記』を借りた。閉められてしまったら、校内電話で寄宿舎に連絡すればいいやと思っても、泣けてきた。

今日《きょう》は、四時ごろだったけど、

「早よう帰れ！　本をさがすんだったら、もっと早くおいで」

と図書係にぼい返された。

憤慨《ふんがい》！　情けなくなる。人一倍のろいから、自分の時間が作れない。

生活のための時間がかかりすぎる（洗濯など）。

工夫《くふう》がたりないという問題ではない。


遠足。動物園へ行く。

動物園なんて、もうイヤダ。

オランウータンの悲しそうな顔（もともとオランウータンは、神経質でノイローゼになりやすいと聞いたことがある）。

石を投げるチンパンジー。ろくに魚もつかめないペリカン。ボロボロなダチョウ。

見ていて、疲れて、ゆううつになってしまった。


寄宿舎の当番制がとてもいやだ。でも集団生活が成り立たんから仕方《しかた》ないけど……。

わたしはのろいから、どうしても皆といっしょにする行動が一歩、二歩遅れてしまう。

のろさをカバーするため、ラジオ体操へ行く前に、半分だけ部屋の掃除をすませておいた。

ところが、帰ってくるといきなり部屋長《へやちょう》から、

「亜也さん、部屋の掃除やれんでしょ。だから、トイレのタオルと汚物の始末《しまつ》をやっといて！」

〝やれんでしょ〟ときめつけられて、だまってひっこむのは悔しかった。

「すべてを許しなさい。耐《た》え難《がた》きを耐え、忍《しの》び難きを忍び……」

神さまの教えはどこまでわたしを苦しめるのか。その考え方が、わたしを弱くしてしまった。

もしも、わたしの体がもっと機敏に動けるならば、喜んでトイレの掃除もやりに行ったでしょう。自分の意志をはっきり主張できず、結局、わたしは「このやろう」と思いながら、何も言わずに退散した。

部屋の外に出たとたん、悔しくて泣いてしまった。

寮母さんが通りがかって、「集団生活の中で泣いてはいけません」。わたしは、どう

したらいいのでしょう?

家へ帰った。

インコのカゴをきれいにしてあげる。

歩く時、左股関節《ひだりこかんせつ》の内側に軽い痛みを感じた。

大切な左足にもガタがきたのか……と、ため息がでる。

左手の不自然な動きをみつけ、ゾーッとする(指をひらいたり、曲げたりするのに、五本の指がバラバラに動く)。

左胸と腕のつけ根、右側の臀部《でんぶ》も痛い。転んだ時打ちどころが悪かったのか、またサロンパスを貼《は》らんといかん。

右足、膝がズキンズキンする。いよいよか……。

風呂に入りながら、「転んで打った腰、肩、あちこち痛んでしまったかわいそうなわたしの体」とつぶやきながら、なでてあげる。

今日から、十分間歩いてみよう。どこまで歩けるか、いざ勝負!

このままでいくと、高三の時は、もう一・二メートルの人間の標高（立っている時の目の高さのこと）は保てなくなる。

三年生の修学旅行の写真を見せてもらう。

わたしは、来年行けるだろうか。

自分は障害者だと理解するには、
一　あきらめること。〝自分には障害があるんだ〟と、自分の能力をわきまえて、そこから努力すること。
二　昔の健康な自分を忘れること。夢の中では走れる。フロイトの夢判断によれば、よほど欲求がつよいということだ（あたりまえ）。
明日は、ダンスの発表会。障害者だという意識がまだ欠けとるから、きれいに完成させようとする、その気持ちがいかん。猛練習したけど、うまくいかない。

くたくたになって帰る時、車椅子の低速モーターの響きが苦しそう。

「ガンバレ！　重いかい？　ゴメンネ」

三十五キロの体重に責任を感じた。

今日のわたしは、張《は》り切《き》っている？

とんでもない。しょうがないからやっているだけだ。

ラジオ体操に行って、ごはんを食べて、洗濯して、塵《ごみ》すてて、点呼《てんこ》に出て……。

寮母さんが「朝は忙しいね」と言う。「わたしは一生、忙しい」と、クールに言い返せたらよかったけど、顔はひきつっていた。


人間が人間らしく、かつ人間的にものが考えられるのは、歩いている時であると思う。

社長さんは机の前を行ったり来たりして〝どうしたらもうかるか〟を考える。だから、恋人同士も歩きながら将来を語り合うのかな？

鈴木先生の目
象さんの目を思い出した
インドの守護神

何でも知っている象さん
やさしい目　わたしは大好きだ

教室でぼんやりしていた。一人っきりで……。

小学生のころ、廊下を走ったり、机をガタガタさせたりして、先生に怒られたっけ！

教室の窓から廊下へとび出して、お尻をピシャッとたたかれた男の子もいたっけ。

わたしはそんないたずらもできず笑って見ていただけ。やれる時にやっておけばよかった。

窓からとび出ることくらい……。

だれもいなくて、静かで、窓があって、そこに自分がいた。

〝ドターン〟

「何しとる、危ないじゃあないか」

また保健室のお世話になる。

A先生に「自傷《じしょう》行為の女の子」と言われてしまった。

痛かったけど、はいずってでも窓から出たことに満足感があった。二度としないよ。

暖かくなったらもう少し体の動きがよくなると期待していたが、よくなるどころか悪くなってきている。

夏休みに入院して、また新薬の恩恵にあずかりたいと思って病院へ行く。

冷たい言葉……。新薬が入らないから夏休みは入院できんと……。

医学からも見放されたような気がした。

崖《がけ》からつき落とされたようだ。頭の後ろをハンマーでぶったたかれたような絶望感でいっぱい。

17歳——もう、歌えない

両親から、可愛いノート五冊とお便りセット。

妹から sand glass（砂時計）。

弟、太字の四色ボールペン。十七歳になったらメソメ泣くな、だって。

十七歳の願望。『白い人・黄色い人』（遠藤周作）の本。

十七歳の願望。本屋とレコード店へ行きたい。車椅子でも、一人で車の通る外へ出ることは難しい。手が思うように動かず、操作ミスが目立つ。もし本屋へ行けたら、『風と共に去りぬ』『暗夜行路』を買おう。もし、レコード店へ行けたら、ポール・モーリアのLPを買おう。

風呂場でこけた。

つま先でバランスをとることができず（もうできないかも知れない）、お尻から、どてーんと落ちるように転んだ。怪我《けが》はなかった。こわいです、こわい。

自然治癒《ちゆりょく》力で、治《なお》ってくれんもんかのう。

十七歳になった。これから何年闘《たたか》ったら、神さまは許して下さるか……。

わたしは、母と同じ年（四十二歳）になった自分を考えることができない。

東高で二年生になることなど想像できなかったように、四十二歳まで生きることができないのではないか、不安だ。

でも生きていたい。

夏休み——帰省

初めての夏休み、家に帰れるのだと思ったら、嬉しくて寝つかれなかった。

新薬《しんやく》が入らず入院できなかったのは残念だけど、こんどの新薬は注射から錠剤《じょうざい》に変わるそうだ。いま努力しているからと言われたので、それを待つしかないとあきらめる。

もうすぐ昼食という時、年輩《ねんぱい》のおじさんがたずねてきた。

「あのう、平安閣（結婚式場）ですけどお母さんは？」

「父も母も出かけておりません」

弟が応対する。五分くらいして二人目の来訪者《らいほうしゃ》。小柄《こがら》なおばさん。

「平安閣のものですが……」

「ああ、さっきもみえましたよ」

と、わたしは二階から答えた。

「おばあちゃんですか？」

玄関にいた弟がゲラゲラ笑い出した。

「あんまりスローテンポでおしゃべりになられるから、てっきり……」

ひどいなあ、まったく、十七歳のおばあちゃんか……。

夕食の時、妹がこのことを母に話した。

悲しくなった。

やっぱり、わたしは認めていないようだ、障害のことを口にされるの、すごく気にさわるもの。

夕食の手伝《てつだ》いをする。

「ニラとひき肉をまぜてくれる？」

と、母に言われた。ウヘェー、ギョウザ？　思わず顔をしかめた（苦手なのだ）。

しかし、よかった。今日は、ちらしずしが献立のメインだったから……。

玉子を四つ割って、火にかけ、いり玉子をつくっている時、I先生のことを思い出した。

毎朝ごはんを炊《た》くとき、タイマーを使わずにわざわざ起きてスイッチを入れる。機械に頼ることをしないでえらいなあと思ったこと。学校のキャンプで朝食を作っている時、わたしがお茶にむせてゴホンゴホンやっているのを見つけ、背中をさすってくれたこと。そんなやさしい先生を……。

ちらしのごはんを扇風機《せんぷうき》で冷《さ》ましていたら、両足の太ももの内側に二センチくらいのやけどをしてしまった。

白い肌に、ほんのりと赤味《あかみ》がさしてきれいだなと思った（お釜《かま》を足ではさんでたのです）。

たんぽぽの会（障害者の仲間《なかま》）のメンバーは、昼は働いているので、夜集まって『地下水』という、ガリ版刷りの雑誌を作っている。夏休みで家にいると電話したら、さそってくれた。

「ねえ、お母さん、夜外出する女の子ってふしだらかねえ」

「ちゃんとした人といっしょならいいけど、夜は危なくない？」

夜八時、山口さんが車で迎えにきてくれる。

出かける時、日本間のソファーで寝そべってテレビを見ていた父に、

「ちょっと行ってきます」

と言ったら、晩酌《ばんしゃく》で頬《ほお》を赤く染めた父は、

「若い娘が夜外出するのは心配だから、これからは昼間にしなさい」

ふだん子供のことに関してあんまり干渉《かんしょう》しない父に注意されたことが意外で、嬉しかった。

父は、照れやでカッコマンだ。だから酔っている父の方がしらふの父よりも好きだ。

前は急ごうと意識すれば、急ぐことができた。

今は急ごうと意識しても、急げない。

そして、将来は、急ごうという意識さえなくなるのではないか。

神よ！　なぜわたしにこの苦しみを与え給《たも》うたか。

いや、人は皆苦しいのかもしれない。でも、なぜ、自分だけが惨《みじ》めになるのか。


今日の転び方は、ひどかった。

風呂に入る時は、脱衣場で、母か妹が脱《ぬ》ぐのを手伝ってくれる。浴室のタイルにお湯を何度か流して暖めてもらい、そこを四つんばいになって浴槽《よくそう》まで進む。

ふちにつかまって中腰になろうとした時、尻餅《しりもち》をついてしまった。その下に、石鹸《せっけん》入《い》れがあったのがいけなかった。グシャッと割れて、破片がお尻にささった。ヒェーと大声を出した。

「どうしたん⁉」

と、母がとびこんできた。

お湯に血が注いでできた赤い川を見ておどろいた母は、お尻をタオルで強く押さえて、まだぬれていないわたしの体に、ザーザーお湯をかけてくれた。

妹と母と二人がかりで、わたしを抱いて手早く体をふき、パジャマを着せてくれた。お尻の傷《きず》はガーゼでピシャッと蓋《ふた》をした。

「お尻が少し切れたから、病院へ行こうね」

大変なことになってしまった。

病院で二針縫って九時帰宅。つかれた。

不意の事故、その瞬間は自分もわからない。つまずいて転んだとか、手がすべってしまったという、事故につながる原因がないからだ。

神経が一時止まってしまうのだろうか。それとも作用しなくなるんだろうか？

母にすまないことをしてしまった。

母が一生懸命に薬をセットしてくれてる時（何種類もある薬を一回分ずつまとめる作業）、わたしはベッドに寝ころがっていた。お腹が少し痛かったから。だが、どういう理由があるにせよ、お前の態度は間違っていた。罪の苛責《かしやく》にさいなまれてか、サトウ・ハチローの詩集『おかあさん2』を読みたくて、本棚に手をのばした。

自問自答

夏休みも、もう終わりだ。

一つだけやり通せたことは、インコの世話だけだった。手や肩にのってきて、カゴの中がきれいになるのを待っている。

水とエサを入れ替えてやり、手に止まらせては一羽ずつ小窓からカゴに入れてやる。とても可愛いんだよ。時々つっつくけど痛くない。

〝ありがとう〟

と、わたしに言っているんだ。〝いいんだよ、お前たちが喜んでくれるなら〟

インコと話しながら、ざっと一時間はかかる。一仕事終《ひとしごとお》えると汗をかく。だって逃げるといけないので窓を閉めきってやるから……。

〈反省（自問自答）〉

「どうして、そんなに勉強しないんだい？」

〝わからない〞
「一生懸命働いている両親に申しわけないと思わないの？」
〝そりゃあ思う。だけどダメなんだ〞
「それは君の甘えだね。世の中をみてごらん、一人でがんばっている人はいくらでもいるじゃないか、げんに一年前の君だって……」
〝もう言わんといて。勉強だけやればいいというもんじゃあない、と言われてから、また迷いが始まってしまったんだ〞
結局、わたしは何もしなくて夏休みを終えることになってしまった。新学期がこわい！
自分の体の変化（悪化）は自分が一番よくわかる。しかし、これが一時的なものか、ダラダラとこうして悪くなってしまうものか？　わからない。
山本先生にたずねた。
一　股関節《こかんせつ》の動きが悪い。悪いながらも前後には動くが、左右はほとんど開かない（蟹のように足が運べない）。

アキレス腱《けん》が硬く足のまねきがうまくできない。
二　バ行、マ行の発音がしにくい。
先生に、練習次第で良くなると元気づけられる。柔らかくする白い錠剤を入れとくね、とつけ加えられた。

自分の病気の真実を聞こうと思ったが、知るのはやはりこわい。そんなものは知らなくても、今を精いっぱい生きていけばいいんだ。

「亜也は東高で生活できなくなって岡養へ転校した。岡養でも重症の方に入る。またここでもダメと言われはしないか。だんだんちぢこまってしまう。この世に生を受けてきたんだ、居場所がなくなるってことないから心配せんでもいいよ。家で生活するようになったら、太陽がサンサンと注ぐ暖かくて明るい部屋に改造してあげるから」

と、帰りの車中で、母は威勢《いせい》よく言った。

〝そうじゃあないんだよ。今をどう生きていくかを考えてるんだ。安楽な場所を求めているんじゃあないよ〟

母は、わたしが惨めな顔をしているので慰めようとして言ってくれたと思う。だから心の中で叫んだ。

泣いた顔を洗おうと洗面所へ行く。鏡を見た。

〝まあ、なんて生気《せいき》のない顔をしているんだろう〟

醜いながらも可愛いところがあると思うよ、と以前かっこいいことを妹に言ったことがあったけど、今の顔ではもう言えない。

わたしに残されている数少ない表情は、泣く、にやっと笑う、マジメマン、ふくれっ面《つら》くらいだ。

生き生きした明るい表情は、一時間ともたない。

歌も歌えない。口辺の筋肉がチック症状を起こすし、腹筋《ふっきん》力の低下により蚊のなくような声しか出ない。

今日で一週間、毎日白い錠剤を飲んだ。

話すテンポが少し早くなり、食べ物も飲みこみやすくなった。右足の緊張も少し緩《かん》和《わ》したようだが、依然《いぜん》足の出は悪く、時どき痛くなる症状は残っている。

秋の行事

〈文化祭〉

母と妹が見にきてくれた。

I先生が舞台で踊るのを見て涙が出たと母が言う。

「どうして？」

「一生懸命やってたもん。普通の学校だったら生徒だけでやるでしょ。先生が生徒といっしょに真剣に踊っている姿に感動しちゃって、自然に涙がでてきたんよ。そして、猿《さる》の役で出てきたリットル氏病のような歩き方をする子がいたでしょう。あの子はああいう歩き方しかできんのに適役だったのか、みんな笑ったでしょ、お母さんはまた泣けちゃった」

わたしの泣き虫は、母ゆずりだと思った。

「だけどねえお母さん、四月ごろは、Sちゃんが転んでも笑っているのを見て、うわー超人的だァ、わたしもあんなに強くなれるかなあ、と思ったけど、亜也だってこのごろは転んでも笑えるようになったよ。きっと歩き方を笑ったんじゃあなくて、猿の衣裳《いしよう》を見て笑ったと思うよ」

と答えた。

〈体育祭〉

養護学校に、体育大会があるとは思わなかった。歩けんのにどうやって行進するのだろう（歩ける人のいることや車椅子の存在を忘れていた）と思っていたから……。助け合い、協力し合って、たりないところを補って完成させる、といった充実感があった。

重症者の創作ダンスは自分達で考えて作ったものだ。枯葉《かれは》が散るところで、ドジなわたしはグループを間違えたうえ、葉を落としてしまった。でも、わたしは懸命に蝶々のように舞っていた（心の中では……）。

現実には、重症者ばかりだもん、きれいにやること自体無理だと思ったが、図書館でビデオを見た時びっくりした。

きれいにできているではないか！　やればできるんだ。

踊《おど》りながら仰ぎ見た空のさわやかな青さが、印象に残っている。

東高の体育大会と一番変わったことは、部外者から当事者になれたことだ。そして、重症だから何もできないと思っていたことが、やればできるんだと思いなおしたことだ。

「亜也ちゃん、やればできるんだよ。これからが本番ですよ」

「葉を落としてくれたお陰でもり上がったよ」

と、先生がたに励まされた。

「当事者になれたと自覚したところから、亜也ちゃんの心の中に異変が起こり始めたんだよ」

と山本先生も言われた。

鈴木先生が長期研修から帰ってこられた。

最重度《さいじゅうど》の子供達と生活を共にしながら勉強してきたことを話して下さった。

「年齢十歳でも、精神年齢は赤ちゃんで、何をしても反応しない子、石でも泥でも口へ入れてしまう子――を実際に見て、一歳の子には一歳の指導がある。それぞれに応じた指導をするには無限の努力がいるし工夫《くふう》もいる。最重度の子も、それを教える先生も、亜也も、そしてわたしも努力しているのだ。がんばろうな」

とおっしゃった。

わたしは、体の不自由さに比例して知能も低下してくれたらこんなに苦しまなくてすむ、と思ったことがある。

先生の話を聞いて〝もったいない〟と恥じた。

小学生のころは医者になろうと思った。

中学生時代は福祉大学へ行こうと考え、東高のころは文学系へ進めたらいいと、ころころ変わったけど、人のために役立つ仕事をしたい気持ちは一貫していた。

今は目標が定まらない。でも卒業したら、動けない子の食事の世話くらいできないかな。手を握って人の温かさをわからせてやりたい。

少しでも役に立つことはできんかしら？

前にあっちゃんが、

「わたしは生まれてこなかった方がよかったかもしれん」

と言った。

その時、わたしは、おったまげた。

心の底に、うじょうじょしている、いやなものがため息といっしょにふきとばされていく、そんな快い驚きだった。わたしも、そう思ったことがあるから。

でも、その動けない子は、そう思うことさえ与えられないんだ、と知ったらかわいそうでならない。


もう、わたしはもとにもどれない。

心も体も、綿のように疲れてしまった。

先生、助けてくれえー。

泣き疲れた体で、簿記の精算表を解《と》いた。

答がピターッと一致！　嬉しいよ。

だけど、いかんわ、五十五分もかかっとる。

年の瀬

年賀状を書く。

郵便番号は、440(豊橋)とその他二、三しか知らなかったけど、今年は、岡養の先生や友人の枠が広がったせいか、いろんな番号がでてきた。日本って広いなあ。

年末の大掃除、餅つき、買い出しと、みんな忙しい。わたしは、何をしたらいいか?

「亜也、体調はグーね。床《ゆか》ふきやってくれる」

「うん」

雑巾《ぞうきん》をしぼって、廊下に間をおいてポンポンと置いてくれる。

正月を迎えることに、さほど感動しなくなった。どうしてもっと新たな気持ちになって、来年の抱負は……と考えられないのだろうか。

いきづまった気持ちで、ワーワー泣いた。

わたしの株は下がる一方じゃー。

東高の先生がおっしゃった。

「現国（現代国語）の問題を解くとき大切なのは、問題が何を問うているかを見極めて、素直にそれに従うことである。素直になるには、先入観をもたないようにする。そのためには本をたくさん読む。読めば読むほど先入観がなくなる」と。

わたしもたくさんの本を読んで、作中のいろんな人物と接していこう。相手の胸の中を察する思いやりは、読書によっても育《はぐく》まれるものであることが今わかった。

どうせ言ってもわかってもらえんときめこんでしまって、話すことをやめてしまったことがある。後からこうすればよかったと悔やむことが多すぎる。だからいつも、ゆううつになってしまうのだ。

書初《かきぞ》めの練習をした。

今年は、細筆を新しくおろして、墨をすってみた。

御手本《おてほん》なしの習字は難しい。お手本なしの人生はなお一層難しい。

本番は、「素直」と書いた。

目立つ、言語障害

マ行、ワ行、バ行、ンが言いにくくなってきた。

化学の時間にあてられて、答えはマイナスとわかっていたのに、マが言えなかった。口の形はできるんだけど、声にならず空気だけぬけていく。だから相手に通じない。最近、ひとり言《ごと》が多くなった。以前は〃バカみたいでいやだ〃と思ったけど、口の訓練になるから大いにやろう。

しゃべることに変わりはない、相手がいるかいないかだけの違いなんだから……。

生徒会の書記に立候補しようと考えた。

小五の時も挑戦したことがある。

立会い演説があるから、言語訓練をしとかないといかん。

訓練やら、勉強やら、いっぱいやることがあって首がまわらん、ブー。

小学生の時、同級生と大決闘した。

発端《ほったん》は、クマ（犬）と広場へ散歩に行った時のこと、級友も兄さんと犬をつれてきていた。そしてクマにけんかをけしかけてきた。

「どうしてけんかさせるの？」

「お兄ちゃんがやれと言ったから」

わたしはカッとなって、

「お兄ちゃんが人を殺せと言ったらあんたは平気で人を殺すの？　お兄ちゃんの言うことが正しいことばっかりではないでしょ！」（母仕込《じこ》みの論法）

それでもやめなかった。こんどは人間同士のつかみ合いのけんかになった。

すさまじい！　強烈！　ドブに頭をつっこまれてもやめなかった。

弟妹が加勢《かせい》してくれた。

あの時のファイトというか正義感で、生徒会の役に立とう。

言語障害が目立ってきた。話をすることに対して、相手もわたしも時間と根気がいるようになった。

すれちがいぎわに、「あの、ちょっと」なんて言えない。相手とわたしの間に、聞こう、話そうとする準備をしないと会話ができないのです。

「空がきれいね。雲がアイスクリームみたいだから」と、つかの間の楽しみさえも表現できなくて欲求不満が起こる。いらいらして、惨めになって、悲しくて、最後には涙がでる。

欲求不満

先生は、わたしを呼び止めて言った。

「欲求不満？」

啞然《あぜん》とした。

わたしの質問や提出する作文、絵などを見ての判断だと思うが、わたしの心の中を、欲求不満として簡単《かんたん》にかたづけられてたまるか！

健康体から不自由な体になって、そのために人生が大きく変わってしまった。

そのうえ病気はまだ進行中だ。

私は今、自分と闘っているのだ。

闘いの最中に満足感なんてあるはずはない。悩んで、苦しんで、その気持ちを整理しようと一生懸命なのだ。

人に聞いてもらって解消するというものではないけれど、少しでも気持ちを理解してもらい、心の支えになってほしい。だから鈴木先生に、ノートに思っていること、悩んでいることを書いて相談している。

他の先生は、自分の内部で消化していくように言われるけれど、あまりにも背負った荷物が重すぎて、立つどころか、身動きさえできなくなってしまうんだよ。

母に、

「わたしは欲求不満の固まり人間に見える？」

とたずねた。

「欲求不満ってだれだってあるよ。その場で思い切って言ってしまえばいいのにね。後から、言われたことやったことに対してこだわるから、いつも悩んでばかりいるように思われるんよ」

わたしは反応が鈍《にぶ》いんだよね。

障害者の自分に出会わない時があるんだ。

どん底にいる。だけど不思議に、死にたいとは思わない。

いつか、いつか楽しい時があるだろうから……。

キリストは、この世の生は試練と語った。

死後の自分を見つめて生きるということか……。

聖書を手にしてみねばなるまい。

わたしの食事

箸《はし》が上手《うま》く使えない。

右手の親指がしっかり伸びきらないし、他の指も硬くなって動かないため、はさめない。だから食べ方も自然と工夫《くふう》され、わたし流の食べ方が身についてしまった。

今晩《こんばん》のメニューは、ごはん、エビフライ、マカロニサラダ、スープだった。

まず、ごはんの中にマカロニサラダをぶちこんだ。細かく小さい物はすべてこうする。

エビフライは大きいので何とかはさめるが、麺類《めんるい》は特に苦手（でも、うどんは大好き）。

飲みこむのも注意が必要。よくむせるからタイミングよく口に運び、リズムに合わせて口を動かし、息を止めて、ドクンとする。

クラスメートのちかちゃんは、左手が上手く使えないので食器に口を近づけて食べる。

てるちゃんは皿の中にごはん、おかず、味噌汁の具とか全部入れて食べる。

わたしは二人の中間型である。

ただ左手が使えるので茶碗を持つことができる。だから、みかけは普通の人と同じように、装うことができる。

ずっと前読んだけど、鈴木健二アナウンサーの書いた本によると、障害者同士が見合いをするのに、一番初めにすることは、自分の悪いところをさらけだすことだそうだ。

わたしの食べ方も、そのこととといっしょだろうか？

寮母長さんに聞いてみた。

「わたし、遅いので目立つ？」

「目立つというより、かわいそうと思う」

ちいとショックだった。

岡養にきても、やってもらうことばかりで申しわけない。

身体障害者は、重症と軽症に区分されている。わたしは重症の部に入っている。

三月

妹よ、弟よ、中学卒業オメデトウ。

さあ入試だ、ガンバレ。

春の野に出《いで》てみたしとつくしとり
音もなくしとしととふる春雨が
今年だけ春になりとてさびしとは

将来が不安だなあ、人生に、いつの間にか背を向けてしまっている。

あの希望は、どうした！

将来何になるかなんて、真剣に考えられなくなっちゃった。なるようになるだろう、運命という波に押し流されてしまった。わたしにはどんな職業が残されているかさえわからない。

母は「あと一年あるから」と言う。

わたしは「もう一年しかない」と思う。

このくい違いは、もう縮める術《すべ》をしらない。


青い鳥学園から通学している子や、小さい時から寄宿していた子は、わたしとちがっている。


とまどいがなく、スムーズに生活している。

「ズルしてもかまわんから、時間だけはきちっと守れ！」

のろくていつも遅れるので、R先生と寮母長さんに同じことを言われた。

でも、たとえば掃除にしても、のろいから丸くふけばいいというのはいやだよ。ごまかせんよ、そんなの……。


I寮母さんは、親切きわまりない。母のような愛で包んでくれる。安らぎがあり大好きだ。夜眠れないと言うから、ぬいぐるみをあげようと思う。

Y寮母さんは、いつもわたしのことを遅い遅いと言ってけしかける人である。

だけど、この前、寮の三メートルの廊下を横切る十分間、だまって見ていてくれた。

二人のやさしさは、質が違う。


母が寮母さんと話しているのを聞いてしまった。

「わたしが死ぬ時は、いっしょにこの子もつれて行きます」

わたしのこと、そんなに思いつめているとは知らなかった。

これが母の愛であることを知った。


マシーン（電動車椅子）の充電開始ボタンを押し忘れて、マシーンでなくなった。

さあ困った。上り坂を、うんこらうんこら押した。腰が痛《いと》うなった。二階の渡り廊下で一服。下界《げかい》を見るとがけの上で動く小さい物をみつける。小犬だった。すごく寂しそうにみえた。先生が通りがかり、

「犬もいい景色の方がいいんだね」

とおっしゃった。

言葉のないものに託す気持ちは、その人や、その時の気持ちによって違うんだな、と思った。

卒業したら、わたしはどうすればいいのか。この二年間で病気の方も大分悪くなってきている。母は、山本先生と相談して、じっくり治療に専念しようと言う。もう、ヤル気を起こすとか起こさないの問題ではない。励ましを期待している場合でもない。やらなきゃあいけないんだ。

コタツに足をつっこんで、妹が残しておいてくれたお菓子を食べた。妹は、

「がんばりんよ」

と言ってくれた。


最近おかしいんだ。目がクラクラしたり、頭がフラフラするんだ。

右足の形も変わってきた。親指のつけ根がでっぱって他の指は寝ころんでいる。

これが自分の足かと思うと気持ちわるい。

現在、身長一四九センチ、体重三六キロ。いつまでも、わたしの体を支える力を失

わないでおくれよ。醜い足サンよ！

車椅子の充電を手伝ってくれたG寮母さんに、

「だんだん病気が悪くなって歩けんくなってしまった。けど軽症で歩ける時もあったんだから、少しは寮のみんなのお世話もしてあげれたかも知れん。でも、どうしようもなくなってからここへ来たものだから、みんなにやってもらうばかりで申しわけない……」

後半は言葉にならなかった。だけど、かろうじて涙をおさえることができた。

母が涙した。

「亜也が病気になったのは運命だし、そういう子を持った親も運命だ。亜也もつらいけどそれ以上にお母さんだってつらい思いをしているの。だから、少しのことでメソメソしてはいかんよ。強く生きんといかんよ」

体育の服装に着替えようと寄宿舎にもどった。痰《たん》が喉《のど》につまり死にそうになった。

腹圧《ふくあつ》がかからんし肺活量も少なく、どうしても痰が切れなくて苦しかった。きっとわたしは、些細《ささい》なことで死ぬのだろうと予感した。

高校三年生

寄宿生活も最後だからと思って、今年はやたらと実行委員会に首をつっこみました。クリスマス会も、皆を楽しませたいと一生懸命でした。とても忙しかった。けど、人のためを思って行動したこの一年は、充実していた。

「ちっとやそっとでお母さんはくたばったりせんから、亜也も長期戦でがんばるんよ」

目先のことばかりにとらわれている自分が恥ずかしかった。

春ももうすぐ終わり、チラチラ散る花びらを車の窓から手を出して受けながら、母の深い愛に触《ふ》れ、安らいだ気持ちになる。

朝起きる時が、一人で寝る時よりこわい。

フトンをたたみ制服を着るまで一時間、トイレ三十分、食事四十分、体の動きの悪い時はプラスα《アルファ》がつく。人の顔を見て「オハヨウ」なんて言っておれない。いつも下ばかり向いている。今朝、また転んで顎《あご》をまともに打ってしまった。血が出ていないか手をあてる。そして、ほっとする。だけど数日すると肩や腕の打ち身が痛くなる。

お風呂で、体の重心がとれなくてブクブク沈んでしまった。

不思議に、死ぬという気はしなかった。

でも透明な世界を見た。天国ってあんなんだろうな……

胸に手をあててみる。ドキドキ音がする。

心臓が動いている。嬉しいな。

わたしは生きている。

右前歯の歯ぐきがはれた。また神経が死んじゃった。

障害者グループで、一泊旅行に出かけた。

ボランティアの人達がたくさん同行し、世話をしてくれる。三歳児の反抗期のように、

「これは自分でできるからやる」

と言わなければならないのが、心苦しかった。

グループの悦代さんは、寝ながら食事をする。側《そば》を通った女の子がヘンな顔をして見ていた。

座って食べられる自分は、いいなと思った。

障害者は、形こそ違ってもみな同じだと思うようになった。

同行の妹（四歳）が、

「お姉さんはフラフラだからきれいじゃあない」

と酷なことを言う。思わずお茶をふき出しちゃった。

小さい子って、人が傷つくなんておかまいなしにズバッと言うからこわいよ。

修学旅行

とても難しいと思った旅行に行ける。

家のことは父が受け持ち、母が同行してくれることになった。

〈修学旅行の感想文〉

○鳩と私の平和公園

ポッポッポッ、クルークルーとハトが鳴く。最初、車椅子を恐《こわ》がって、なかなか寄ってこなかったハトたちなのに、餌を持つと肩に腕に頭にとまってくる。ハトも原爆を落とした人間も、かなりいい加減だと思った。

さきほど、原爆資料館を見学してきた。資料館の中は暗かった。展示物だけがライトで明るく照らし出されている。そのため、いっそう重くのしかかってくるような無気味なふん囲気におし包まれていた。

被爆当時の模型があった。ボロボロの服を着た母と子が、手をつないで何かから逃げていた。回りは火で赤い。ころんですり傷をつくったあと、にじみ出てくる血しょうの色だ。後ろで母がつぶやいた。「気もち悪い」。そして、顔をそむけて、「こんなこと言ったらいかんのだよね。『かわいそう』と言わないと。好きでこんなになったんじゃないのだもんね」と言った。私は気もち悪いと思わなかった。これだけが原爆じゃない。これだけが戦争じゃない。戦争を知らないあさはかな子はそう強がっていた。

原爆症で亡くなってしまったさだ子さんの折ったつるがあった。赤いすきとおった薬紙でつくってあった。死にたくない。生きたい。さだ子さんの叫びが聞こえるようだった。だけど、原爆症というのはどういうふうな病気なんだろう。三十五年たった今でも原爆症に苦しむ人がいるというのは、遺伝性の病気なのだろうか。母に聞いてみたけどよくわからないとのことだった。

ケロイドのある馬のはくせい、熱線で焼けた瓦、ぐにゃぐにゃにとろけた一升びん、まっ黒けになったごはんとアルミの弁当箱、戦時中のボロボロの服……etc。事実は事実として容赦なくおしせまってくる。私たちは戦争を知らない。だけど知らないと言ってそっぽを向くわけにはいかない。いやでも日本の広島で原爆のために多くの人が犠牲になって亡くなったことを知らねばならない。そして、二度とこの惨劇をくり返してはいけないんだ！　と誓うことが一番の供養《くよう》になると思った。

後で気づいたことだが、資料館の中で広島の小学生たちといっしょになった。その子らは、展示物と車椅子の私を同じような気味悪いものを見るような目つきで見るのです。人の目など、気にしていてはだめだと思った。きっと車椅子や車椅子に乗った人が珍しいのだろう。そう考えて、ただ展示物にじっといっていたような気がする。

鈴木先生におばれて階段をおりた。いやな目と、重苦しいふん囲気から脱出できてほっとした。外は小雨がポツポツ降り出していた。

母が車椅子にすわった私にレインコートを着せようとした。私は「みっともない」と、ことわった。だけど、レインコートをかぶっても、みんな何も言わないので、しぶしぶながら母の言うことに従った。頭に手ぬぐいもかぶせられた。

新緑がきれいだった。雨にぬれた木々がどんよりとした空の下で輝いていた。クスの木の黄緑の若葉が黒い幹に映えてきれいだった。写生してみたいなと思った。

その緑の中をずっと分け入って行くと、「平和の鐘」があった。四本の柱で支えられた丸天井は宇宙を表わすそうだ。回りを囲った池に植わっている枯れかけたハスにも由来があるそうだ。

「鐘をならしたい人は出てこい」と先生が言われた。寺田さんや粕谷君が鐘をうつのがちらっと目に入った。ゴーン、ゴーン……余韻を耳に残してはるかに消えてゆく音。「平和」を願ってこの鐘の音を聞くのだから、別に鐘をうたなくとも、私のできることをすればよい。そう思って、私は目をつぶって祈った。

折りからの雨で太田川は土色に濁っていた。原爆が落ちた時、苦しむ人々でうまったこの川。「熱い、熱い」と人々がうめき声をあげていたこの川。頭の中で想像する方が、実際に資料を見たときよりも恐ろしかった。

ハトがバタバタと肩に腕にひざにとまってくる。ハトの足はやわらかい。あたたかい。手にもった餌をついばみ群がっている。たくさんたくさんハトがいる。土鳩《どばと》だから、目立ってきれいなのはいない。その中で足の数の足りない鳩がいた。不自由だけど歩いていた。私は意地になって、餌を足の悪いハトにあげようとした。だけどなかなかうまくいかない。あまりたくさんハトがいるので、一羽や二羽奇形のハトがいてもしかたないのかな。もしも、私みたいに歩けない重障だったら、生きていかれないだろうな。人間に生まれて生きていけることを幸せに思わないといけないと思った。また「平和」な世でしか生きていけない私だから、「平和」を願うのか？　あさましい願いやなあとも考えた。

そのうちに、足の悪いハトだけに餌をやるのではなく、そうでないハトにも一粒餌をやりたいと思った。そして、人間の世で言えば、これが「福祉」なのかな、とハトがヨチヨチと餌をついばむのを見て思った。

将来

夢の中でもわたしは足が不自由でした。車椅子に乗っているわたしが出てきました(以前は、歩いているわたしだったのに)。

右手の細かい動きがとても悪い。以前、山本先生が、左手を使う練習をするようにと言ったのは、右手が将来悪くなることを予測して言われたのか。

今年の夏休みには、二度目の入院をする予定だから、将来について相談してみよう。

進路についての話し合いで、教室内はざわめいてきた。

わたしは、公務員試験を受けてみたい。

父の意見……受けてもいいが、心配だから働きに出したくない。

母は、通勤からして無理だからやめときなさい。

わたしは、病気が治るかどうかわからないけど、目標として全力をつくしてみたい。

二学期になると、「就職が……」「社会に出てから……」と先生はよく言う。

わたしはバカだもん、その気になっておった。進学をあきらめ就職に変えただけだと思っておった。先生の言う〝就職〟を、自分の能力に当てはめて考えることもせず、ただウノミにしていたことに気がついた。

もう少し時間をかけて考えてみよう。

18歳——本当のことを知って

今日は、ちいっとショックが強かった。

妹（四歳）との会話。

「わたしもお姉さんみたいに、フラフラになりたい」

と妹。わたしは平気な顔で、

「ほんなん、歩けんくなっちゃうに、走れんでつまらんよ。こんなのお姉さんだけでいいよ」

といとも簡単に言えた。妹はすぐに、

「やーめた」

と言ってくれた。わが家の玄関でのできごとである。奥で聞いていた母は、どう思っただろうか。

最後の夏休み

朝、風呂に入る（体を柔らかくするため）。

母が、暑い暑いと言って動きまわっている。

わたしは〝暑くない〟では申しわけないと思って、計算実技を汗をかくまでやった。


昼食後、虫歯が痛む。家だから甘えて泣く。弟のきまり文句がとんでくる。

「あんた何歳？」と言いながら、氷をビニール袋に入れてくれたので頬《ほほ》を冷《ひや》す。気持ちよく二時間寝る。

母が帰宅して、新今治水《しんこんじすい》をつけてくれる。

弟と五目並べをやる。8対2でダラマケ。

妹は、バイトで帰りが遅い。夕食は、わたしの注文で、ヒヤヤッコとさしみ。

夜、ズッコケる。

電灯を消そうと思って立ち上がったら、そのままドデーン。すごい音がしたので母がとんできた。

「どうしたの？　亜也も頭を使って生活の知恵を身につけんといかんわ。転んでばかりいると安心して仕事にも行けんにィ……」

と言って、スイッチの鎖《くさり》に長い紐《ひも》をつけてくれた。これからは夜更《よふ》けの動きは慎《つつし》もう。

今日こそはと、張り切って部屋の掃除をする。ひざ立ちでやるので掃除機がゴミを上手《うま》く吸わない。でも必死でやったら、ええ気持ちじゃ。

恵子、遊びに来てくれる。

うき草に　我をたとえし　我が友と
ただ見つめ合い　心根語らう
きらきらと　友のまなざし夢語る

彼女は将来の夢について、いっぱい話してくれる。こうして大人《おとな》になっていくんだなあと感じた。さあ明日は入院だ。

二回目の入院――名古屋保健衛生大学病院

今回の入院は、症状の進行状態のチェック、新薬の注射、リハビリを主として行う。そして、一回目の入院の時と違うことは、転《ころ》ぶと危ないので、一人で病室の外へ出ないようにと言われたこと。トイレに行く時、窓の外へチラッと目をやる。灰色の壁と黒い建物を見て、暗い気持ちとなる。付き添っていた看護婦さんが、

「どうしてそんなに疲れた顔するの？」

と聞く。

眼振《がんしん》（眼球振盪《がんきゅうしんとう》＝眼球が左右に動く）が最近目立ってきた。脳波の部屋で目の検査をした。先生の足も不自由だった。わたしもどこか一か所でも健全であったなら働けるのになあ。

「クリーム、どうしてぬるの？」

と聞いたら、

「検査するんでね」

と、的《まと》はずれの返事が返ってきた。普通の人にもこうなのかしら。

身体障害と言語障害があると、バカに見えるのかしら。

さらにくわしく調べるため、山本先生に車で名古屋大学付属病院へつれて行ってもらう。

じっと前を見つめていて、パッと右を見ると赤い玉が二つぼやけて見える。今度は左をパッと見る。左の方がズレが小さい。やはり右半身の運動神経障害が進行しているようだ。

車の中で先生に、新薬の注射をしても前回のように気分が悪くならない、効《き》かなくなっているのではないか……とたずねる。

アキレス腱《けん》は柔らかくなったように思うけど、言語障害が進んでいることを話した。

先生は、

「言葉の障害は、発音しにくくても、最後まで言いきるようにしなさい。聞き手が馴《な》れてくればしめたものよ」

とおっしゃった。

訓練

一　松葉杖《づえ》を使ってみた。右手に力が入らないので転びそうになる。
二　いすから立ち上がる練習。
三　膝立《ひざた》ちができないと歩けないというが、クラクラしてやれない。
四　手先《てさき》の仕事をする。編物《あみもの》や手芸・工作など。

入院して二十日目、機能の再チェックを受ける。「あんまり変わっとらん」と言われてショック！　「悪くなっていない」と後からつけ加えたが、それじゃあ困る。少しでもよくならないと。

リハビリ室に行く。体の不自由な大人がたくさんいる。子供は少ない。脳卒中《のうそっちゅう》で半身不随《はんしんふずい》のおじさんは、マットの上で膝立ちの練習を歯をくいしばってやっているわたしの姿を見て、涙をふいていた。

「おじさん、今、わたしは泣いている場合じゃないよ。泣きたくなるほど苦しいけど、歩けるようになるまで、おあずけしとくの。おじさんもがんばらなくちゃあだめだよ」

と目で話しかけた。

歩くために、どれだけの労力を費《つい》やさねばならないか、不安とあせりを感ずる。部屋に帰ると編棒を握る。握るというよりわしづかみに近い。そして、握ったら二度と離さない。体が硬くなって、開いたり握ったりの動作ができないからだ。一行編《いちぎよう》むのに、三十分もかかる。

病室の人にわからないように、幼稚園の時習った〝むすんでひらいて……〟を練習しよう。

院長回診や主治医回診がある時、ヒヨコの先生がたくさんついてくる。

その時の会話は、わたしを悲しませる。

その一　小脳のコンピューター経路がこわれて、普通の人なら無意識にやる動作も、いったん大脳にフィードバックしないとできない。

その二　時々ニヤッと笑うのは病的なもの。

ヒヨコの先生は、院長や主治医の話を真剣に聞いているが、説明されている身はつらいし、いやです。

本の話や友人の話をしている時は楽しくて、ヒヨコの先生は大好きだけど、回診の時の顔はもの珍しげに眺《なが》めるので、人が違ったみたいになる。

でも、勉強しないといい医者になれんもん、仕方ないか……。


リハビリ、検査、歯の治療と、車椅子の大活躍によって病院の中を駆《か》けめぐる。

たくさんの患者さん、看護婦さんたちと仲良しになった。

おにぎりを握ってくれたKさん。メロンをくれたおじさんは、夜になると、

「テレビを見においで」

と呼んでくれる。

実習生の看護婦さんは、アイスクリームを持って遊びにきてくれた。八〇〇号のおばさんは、花びんに花を生けてくれた。

まみちゃんとは、いっしょに童話を読んだ。

みんな親戚《しんせき》のような気がしてくる。

退院していくおじさんが、

「最後の最後までがんばれよ」

と涙をこぼす。

本当にいろんな人に会えました。

どの人も、

「えらいね、亜也ちゃんには感心する」

と言うけれど、わたしはちっともえらくはないので恥ずかしい。

短い間だったけど、きっと一生忘れません。

卒業

卒業が間近になると、障害をもって社会へ出ていく心構えや就職先についての話が、どの授業の中でも話題になる。

東高へ入学した時は、大学へ進むつもりで勉強しました。

岡養二年生の時は、まだ歩けたし、就職できるんだと思っていました。

三年生になって、すべてが不可能になってしまいました。
○○君＝△△会社　○○さん＝職業訓練所　木藤亜也＝在宅……。

これが、決定した進路です。

この二年間、〝障害を認めよ、そこから出発せよ〟と教えられ、悩みながら、闘いながら生きてきました。

明るい光がさしこんできたと思うと、大雨になったり台風になったり、そしてまた晴れたり、いつも不安定な気持ちのまま卒業まできてしまいました。

いつまで苦しんで闘ったら、わたしの人生を見つけだすことができるのでしょうか。たどりつく所を知らないかのように、わたしの体をむしばんでいく病魔は、死ぬまでわたしを苦しみから解放してくれないのでしょうか。

十二年間の学校生活で学んだ知識、先生や友人から受けた教えを生かして、社会の役に立ちたかった。

たとえどんな小さな弱い力であっても、喜んで与えたかった。お世話になった、せめてもの恩返しにしたかった。

わたしが世の中に貢献できることは、死んだあと、医学の進歩のために体を提供して、腎臓、角膜、使えるところはみんなバラバラにしてもらって、病んでいる人にあげることぐらいしかないのか……。

卒業式までの秒読みが始まった。

卒業したくない！　別れたくない！

わたしには、次の光が見えないから……。

一人ぼっちになりそうだから……。

鈴木先生、用もないのに手紙だすかも知れんよ、時には悩みを言うけど面倒なんて言わないでよ。大人《おとな》と大人のつきあいで……。

在宅

寄宿で使った数々の荷物をほどき、懐《なつ》かしがるわたしは、年をとった人みたいだ。

働きに出かける父と母、学校・保育園へ通う弟と妹の規則的な生活、家族の中で自分だけだらしなくすると厄介《やっかい》な存在になる、少しでも計画的な生活をしよう。
一　あいさつをしっかり。ありがとう、おはよう。
二　言葉は、シャキッとしてはっきり。
三　思いやりのある大人になる。

四　訓練。体力をつけ、手伝いをする。
五　生きがいをみつける。やらなければいけないことがあるうちは死ねん。
六　家族の日課からはみ出さんこと（食事や入浴など）。

くそっ！　くそっ！　枕《まくら》に頭を打ちつけた。

朝八時から夕方五時までの孤独な時間は、毎日となると何ともやりきれなく寂しい。日記や手紙を書いたり、テレビ「徹子の部屋」を見て、昼食、そして訓練をかねて床ふき、自由であって自由にできない生活だ。

夕食の時は、ほっとする。寝る時になるとまた寂しくなる。今日と同じ明日が又くると思うから、そんな気持ちでいるから、座っていたのに前につんのめって、せっかく入れたさし歯を折ってしまった。

「亜也さん、このごろ声が小さくなったよ。肺活量も少なくなってるから、大きい声を出す訓練をした方がいい。昼は大声で歌ってもだれも笑わんからやってごらん。それから、みんなに集合をかける時は、みんながびっくりするくらい大きな声を出して呼んでね。ちょっと練習してごらん」

と母が言った。

わたしは床に座って背すじを伸ばし、

「オーイ」

と呼んでみた。音程《おんてい》が高すぎたので二人で大笑いした。もう一度、

「オーイ」

と声を出した。

「どうした？」

と、弟と妹が二階からかけおりてきた。

〝成功！〟

「これから用事がある時は、亜也が『オーイ』と呼ぶから、聞こえたらくるんよ。呼んだ手前、皆さんデザートなんぞいかが」

と母のユーモラスな言い方に、みんな笑いながらバナナを食べた。

〝山本先生にお願いする〟

病院ですべてを修繕したい。体あっての生活だから……。

二十歳までには、何とかメドが立たないかなあ、自分のことだけでもできるように……。


先生、力を貸して下さい。

メソメソしている暇《ひま》なんぞないわ、と自分を励ましているけど、病気をくい止めることは、どうしても自分の力だけではできないのです。

山本先生は、

「今度は学生ではないから、ゆっくり気長に良くなるまで入院しようね。そして、がんばって生きていくのよ。生きてさえいれば、いい薬が必ず開発されるからね。日本の神経医学は外国に比べて遅《おく》れてるの。でも最近は、すごいスピードで進歩してきたの。白血病だって数年前は絶対的な病気だったけど、現在では治る人だっているんだよ。先生もがんばって勉強しているの、亜也ちゃんたちを何とか治してあげるためにね」

わたしは、涙がでて止まらなかった。

今日の涙は嬉し涙。

〝先生ありがとう。わたしを見捨てないでくれて……。二回も入院して新薬を使ったのに、なかなか回復しないから先生があきらめてしまわないだろうかと心配でたまりませんでした〟

言葉にならず、涙でくしゃくしゃの顔で大きくうなずいた。

母は背《む》を向けて、肩をふるわしていた。

山本先生と出会えて幸せだと感謝している。身も心も弱りきって打ちひしがれている時、いつも助け舟を出してくれる先生！

外来でたくさんの患者さんがいても、昼ごはんも食べずに、じっくり話を聞いてくれる。そして希望と光を与えてくれる。

「医者をしている限り、亜也ちゃんを見捨てないからね」という一言《ひとこと》が、どんなに心強いか……。

卒業して三か月たった。就職した友人から、会社にも慣れてがんばっていると手紙をもらった。三か月たった今、わたしは病院生活を送っている。体の故障《こしょう》を治して再出発するために……。

トイレで一曲、「バラが咲いた」を歌う。それで今日も一日が始まった。

肺活量をふやすためにハーモニカを吹《ふ》く。とってもいい音が出たの。

いやなことも、人が死んじゃったことも、みんなふっとんでしまうような、そんな響《ひび》きがある。近所迷惑も考えずに、また吹こう。

リハビリに行く途中、トイレに寄った。

座る時ドスンと便器に尻餅《しりもち》をついてしまい、トレパンの後ろの方を濡《ぬ》らしてしまった。

着替える時間がないのでそのまま直行する。歩く訓練をする時、Y先生がトレパンの後ろのゴムのところを持った。濡れていることがわかってそのまま遠ざかって行った。

平行棒のところに置き去りにされた亜也。自主訓練と称して右足にプロテクター（かかとを九十度に保つため）をはめ、指の間にウレタンをはさんで、しっかり平行棒を持って歩きだす。ヒョコ、ヒョコ……。

「もう少し早く足を送らんといかんなあ」

と見ていたY先生。

「足と上半身、腰がいっしょに進まんでいかんのだわ。何とかしようと緊張《きんちょう》すると、残るのは足の方で、転んでしまうんよ」

と言いたかったけど、濡れたトレパンで不愉快な思いに気おくれがして、だまって何度も一人でやってみた。

鏡《かがみ》

髪を切りました。だけどわたしは鏡を見ません。澄《す》ましこんだ自分を見るのが嫌《きら》いなのです。また、いつも人に見せるような、あのニマーとした笑いや、ギュッと目をつむるところなど、見られやしないからです。

でも、リハビリの部屋には、大きな姿見《すがたみ》があります。

「鏡を見て、自分の悪い型を治すようにしないといけないよ」

とO先生に教えてもらいました。

頭の中に描く自分の姿は、健康だったころの普通の女の子しか浮かばない。姿見に映った自分は美しくなかった。

背骨が曲がって上半身が傾いている。

事実は事実として認めるしかない。しかし不自由だということから、どうしても逃げようとする気持ちを棄《す》てきれないでいる。

できなかったことが、厳《きび》しいリハビリでできるようになった、という事実が一つでもほしい。

〝意欲〟で〝体〟に勝とうと勝負したけど、ダメだった。顔がまっ白になって気持ちが悪くなり脱落。自分で自分の首を絞《し》めていることを知りました。

〝がんばりすぎに注意〟

今日トイレで転び、頭をひどくぶちました。たんこぶができず、頭痛が激しかったの。〝もう死んじゃうんだ〟と、そう思った。

外では、ピカッと閃光《せんこう》が直線に光り、ゴロゴロと雷が鳴りはじめている。

車椅子に乗り廊下の公衆電話まで行く。家に電話したら母が出た。

「亜也、日曜日が待ち遠しいね。あと三日だけよ、ほしい物は？　洗濯はしてあげる、雷は鳴っている？」

「ふん、鳴っとるよ」

もう、死んでもいいと思った。

盗難

週一回は自分で洗濯をする。八階の病室から一階まで、ズックカバンに汚れ物を入れ、車椅子の後ろのポケットに財布《さいふ》を入れて、エレベーターで、いざ出陣！

順番を待つ間ロビーで本を読んでいる。

おばさんが呼んでくれた。さあ開始だと、ポケットに手を入れたけど財布がない。確かに入れたのに何度探《さが》してもない。ウロタエタ。待ってた男の人が、

「どうしたの？」

と聞く。

「財布を忘れたようだからお先にどうぞ」

と、その場を離《はな》れたが、後ろに目がないし、想像もしていなかったことだった。

四百円。財布ごとなくして、お母さんごめんなさい。


養護学校の鈴木先生と都築先生が見舞いにきてくれた。卒業してから四か月ぶりだけど、少しも変わっていなくてよかった。

「先生、わたしのフトンに寝てみて」

「病院のフトンで寝るのはいやだな。疲《つか》れているみたいか？」

「ううん、先生の匂《にお》いがフトンについて、夜安心して寝られるから」

先生は、何とも言えない表情をして困ってた。


妹がきてくれた。車椅子で外へ出た。太陽が強くて目が開かない。黒くなりたいなあ、わたしは白すぎるもん。

驚《おどろ》き、ももの木、さんしょの木、もうツクツクボーシが鳴いている。

マッテェー、夏が行っちゃうよ。

妹は、やる気がでないとずい分苦しんでいるようだった。自分の求めている何かがみつからないのだろうか。わたしにもわかるがちょっぴり心配だ。

妹は、わたしより精神面では自立している。一番親離れできないでいるのは、自分のようだ。


半身マヒの電気屋のおじさんが、一階の花屋さんで姫《ひめ》ユリを買ってくれた。

おじさんは片手《かたて》しか使えないから、財布ごとおばさんに渡して二百五十円出してもらっていた。

「咲くといいね」

と言って渡してくれた。やさしいおじさんの顔が輝いてみえた。

開きゆくユリの蕾《つぼみ》にやさしくあれ
かわいくあれと　そっと唇《くちびる》をふれてみる
赤ちゃんのホッぺに口づけする母親のように

宣告

・入院時より体力は多少ついた。
・平行棒につかまって二往復はできるが、実用的なつたい歩きまでは無理だった。
・言葉は聞き返される方が多い。筆談《ひつだん》は最後の手段にしたかったけど、筆談せざるを得ない時もあった。
・食事は普通食から、きざみ食になる。

今日退院するので、命がけで最後の洗濯をした。朝四時半起床、洗い場に行ったらだれもいない。すぐ使えるのはいいけど、脱水機から乾燥機に入れる時は、どうしても立位《りつい》でないとやれない。いつもは、だれかが助けてくれる。

「お母さん、助けてくれーえ」

と心の中で叫んだけど、どうにもならない。こんなこと、これからいっぱいあるんだ。

山本先生が告げてくれた。

「悪くなることはあっても、良くはならない。進行を遅くするには訓練をして脳を刺《し》激《げき》するようにするしかない」

すごくつらく、苦しかったけど、本当のことを教えてくれてありがとう。

自分はどういうふうに生きて行ったらいいのか、道は狭《せば》まった。険《けわ》しいけど、這《は》ってでも前を向いて生きていきます。尻込みしていたらいけませんね。

そして、

「風邪《かぜ》をこじらせないように。呼吸困難や熱が出たら、すぐ大学へ電話して下さい。アキレス腱《けん》伸ばしと深呼吸の訓練をするように。一生懸命動いてね」

と、やさしく言われた。

先生、部屋のみなさん、そして看護婦さん、ありがとう。いつかまたお世話になると思います。その時もまた、よろしくお願いします。

19歳——もうダメかも知れない

妹が退院祝いといって、シャツをくれた。

今日も一日がんばるぞと思ったが、結局、食べて、歯みがきして、トイレへ行って、寝るだけで一日が暮《く》れてしまう。

夜、髪の毛を切ってもらう。ブチブチに短くなってしまった。自分の髪なのに自分で手入れができないんだから、カールもクソもあったもんじゃあないよ。よく考えたら、髪を梳《す》く時間を少なくしようという母の心づかいが痛いほどわかる。鏡を見たら、山本先生風のカットだった。

孤独

もしも病気が治って、普通に歩けるようになって、不自由なく話ができるようになって、箸《はし》で上手《じょうず》に食べられるようになったら……。

そう考えることは、思ってはならない、見てはならない夢なのだ。

〝障害者として、これから一生重荷を背負って、苦しくても負けないで生きてゆかねばならない〟そう決心したのだから……。

「良くはならない」と先生に言われてから、燃えてパッと散りたい、短命を願う、なんて覚悟までしているんだ。

お母さん、心配ばかりかけ、何の恩返しもできなくてごめんね。

弟妹よ、姉らしいことしてあげられなくてそのうえお母さんまで取り上げてしまって、許してね。

これからの幾年月《いくとしつき》、のたうちまわって生きていくのがわたしの一生。

ああ一体、どうしたらいいのだろう。

長年使っていた二階の部屋から、一階の日本間に移った。

台所、風呂、便所に近く、家族が一番よく通る廊下に面している六帖の畳《たたみ》の部屋です。大きなガラス窓を開けると庭があり、クロ（犬）がいつもこちらを見ていてくれます。

クロが四匹の赤ちゃんを生みました。まだ目も見えない赤ちゃんは、オッパイを上手に探《さが》します。そんなクロが偉大にみえました。今朝、ユリのツボミが開きました。メスの小犬にユリと名づけよう！

愛

夜、カメラの講習会。

弟が化学の宿題と、新品のカメラを持ってわが部屋にやってきた。

わたしが一人で寂しいだろうと思っていっしょにいてくれるんだろう。やさしいなあ。

カメラの説明を、嬉しそうに延々二時間もして、宿題もやらずに自分の部屋にもどって行った。弟は、

「明日は五時に起きて、小犬の遊び場の、とがった石を取ってやろう」と言っていたけど、宿題をやらねばいけなくなったね。

クロの赤ちゃん、遊び場の石、取ってもらえそうにないよ、ごめんね。

家庭のぬくもりの中で、愛されていると感じる。でも、わたしは、みんなを愛して

いると表現できない。

言葉を話せないし、それを表わす行動ができないから……。

にこにこ笑って愛に応《こた》えるだけが精いっぱい！

早寝早起きをしましょう。

ハミガキも手早く、食事にも遅れないように、訓練も毎日きちんとしましょう。

そして愛に応える努力をしましょう。

自主訓練。

立ち上がり十回、お尻上げ十回、寝返り、起き上がり左右十回、手上げ五分、つかまり立ち五分、深呼吸を三回してハーモニカを吹き、また三回深呼吸（ハーモニカを吹く時は鼻をつまんで息がもれないようにするといい音がでる）、手先《てさき》の訓練は木目《きめ》込《こ》み細工、編物、発声は絵本の朗読をすること……。

晩秋

いつの間にか蟬《せみ》が鳴かなくなって、鈴虫にバトンタッチした。

朝夕冷え込みます。そして体力も気力も衰えていくような気がしてならない。

生きていていいのか？
お前がいなくなっても何一つ残りはしない。
愛——それだけにすがって生きている自分のなんと悲しいことよ。
お母さん、わたしのような醜《みにく》い者が、この世に生きていてもよいのでしょうか。
わたしの中の、キラッと光るものをお母さんなら、きっと見つけてくれると思います。
教えて下さい。導いて下さい。

庭に咲くカンナをながめて君恋し

早朝、小犬のじゃれあう声で目が覚《さ》める。
窓から朝日が差しこんでいる。
フトンの中でしばらく見ていた。
あいつらも大きくなったなあ。この間までキャンキャン鳴いているだけだったのに、
もうイッチョマエに怒ってうなっている。

そのことは自分にも当てはまると思い、ひとり苦笑《にがわら》い。

花屋さんへ行きたいよう。ピンクのバラ一輪買うのさ。

ケーキ屋さんへ行きたいよう。シュークリームにしようか。ショートケーキにしようか、ウインドーをのぞいてきめるの。

酒屋さんに行きたいよう。弟にあげる「赤玉ハニーワインを下さい」って赤ら顔の太っちょのおじさんに言うの……。


念願かなって、トットちゃんの本を買ってもらった。

楽しみはしまっておいて、木目込み工作（布を同型に数枚切って木型のボールにのりで貼り付け、まりを作るのです）にかかる。

鋏《はさみ》が上手く使えないし、針をとめるのも難しくてはかどらない。

寸法を間違えると完成しないので、布を切る時のわたしは真剣そのものだ。

夜寝ようとしてたら、コン、コンとノックの音がした（星新一の本にあったなあ、こんな場面が）。

「どうぞ」

と言うと、スーッと戸が開いて、小さな女の子が入ってきました。そうです、妹のリカちゃんです。

「お話があるの」

といつになくシリアスな口調で言う。

「明日、保育園へ行くの。家にいないからいい子にしとらんといかんよ。ズッコケンようにね。帰ってきたらまた遊ぼうね」

泣けてきた。

母から受ける愛は、自分の中で消化され、人に対する愛に変わっていくものであると思う。

小鳥にピーナツをあげたら、喜んで食べた。さて籠《かご》をきれいにしてやろうと入口の金網を開けたとたん、飛び出して外に飛んで行ってしまった。

生きてゆけないことを知らないから、こわい敵がいることを知らないから、出てゆけたのだ。それがわかったら、帰っておいでよ。

悲しくなって、先生と友達に手紙を書いた。

「クルクル綴《と》じてある、スケッチブックみたいなノート買ってよ！　どうも大学ノートだと日記も書く気にならん」

と母に頼んだ。

「そんな、気分次第でやる、やらんなんてわがままだ。体調が悪いならいざ知らず、やらねばならんと思わなくちゃあ」

と母。

母上の生き方を、わたしはまた一つ学んだ。

夕食の支度《したく》でも「気分が乗らんから」と母に言われたら、わたし干《ひ》あがっちゃう(飢えちゃいそう)。


風邪気味なので寝ていたら、妹のリカちゃんがお見舞いにきてくれた。

枕元に座ると、枕のカバーにマジックで兎《うさぎ》の絵を描《か》き出した。

ワンパターンの兎が大小並んで、その間に花のつもりか丸を三つ、四つ描く。

「夜一人で寝るの寂しいでしょうから、お友達にしてね」

リカの優しさに、また泣いた。

今朝の新聞に、時計の修理の資格を取るために二十年間も通信教育を続けたという、電動車椅子に乗った障害者の記事があった。

成長のないわたし。

心の成長を止めてしまっている、わたしの体。

自分にできる仕事はあるだろうか（弟はないという。わたしも半分はそう思う）。

でもやれないことばかりではないはずだ。

今やれることは、木目込《きめこ》み工作と書くことぐらいか。職は持てなくても、床ふき、洗濯たたみなど、母の手助けなら少しはできるはず。

木目込み工作をやろうとしたけど、結局、妹と遊んでしまった。

その間に、母が部屋の掃除をしてくれた。

汚い物を汚いまま放っておくのは、動物と同じだそうだ。

じゅうたんにこびりついた髪の毛が、きれいになくなっていたので感謝感激。

きれいになりすぎて、ムズムズして落ち着かん。

どういう気持ちで母が掃除したのか、それが知りたかった。やっかいな子の世話のためにせっかくの休みの半日がつぶれてしまったのだから……。

妹に、「かわいそうね」と言われた。

「アコちゃんにとって面白《おもしろ》いことって何？」

と尋《たず》ねたら、

「おねえにとって面白いことは？」

と問い返された。

「ないの……」

「かわいそうに」

と……。

中二階で、ゆり椅子につかまって立ち、両手を離す訓練をしていた。フラフラして五分と立っていられなかった。こんなに真剣に一生懸命やってもできないって、どうして？　弟も「かわいそうに」と言う。もう外は暗かった。テレビの画像の明るさが、ほの白く弟の顔を照らしていた。

どこか広いところへ行きたい。
せせこましいのは、もうイヤ。
すごい圧迫を感じるのです。
寒いから、外へ出てはいけないのです。
死ぬことばかり考えてこわいのです。
動けんもんね。マイッタ。
生きたいのです。
動けん、お金ももうけれん、人の役に立つこともできん。
でも生きていたいんです。
わかってほしいんです。

妹のリカちゃんが、パンにジャムをベチョベチョに塗《ぬ》った。
食べているうちに、ボトボト床に落ちた。

わたしは、「もったいない」と思った。

母は、「残念だったね」と言って、落ちたジャムを拭《ふ》きとった。

どこからくる？　この違い……。

椅子から立ち上がろうとして失敗。ポケットのみかんがつぶれる。

母と同じ気持ちになって「残念だった」と思えた。

残酷

とうとう言われてしまった。

「○○ちゃんもいい子にしてないと、あんなふうになっちゃうよ」

診察を受けに行った病院のトイレで転びそうになり、母に支えてもらっていた時だった。必死につかまっているわたしの横で、赤いチェックの服を着た三十代くらいのおばさんが、小さい男の子に、ささやいていた。

悲しくて、惨めだった。

「子どもにあんな言い方をして育てていたら、自分が将来年とって体が不自由になった時、いいお母さんにしとらんかったからそうなった、と間違った教えが自分にもどってくるんよ」

と母は慰めてくれた。

これからも、こんなことはたびたびあると思う。

幼い子が自分と違う人間に出会った時、珍しくてジロジロ見るのは仕方がないとしても、大人から子供の躾《しつけ》の材料にされたのは初めてだったので、こたえた。

昼間一人でいると寂しいだろうからと、猫を一匹もらってきてくれた。

すぐなついて、フトンやコタツの中に入ってきたりひざの上に乗ってくるので、とても可愛い。

妹が抱くと、キュッと絞《し》めるのでいやがって逃げる。するとシッポをひっぱって何としてでもひざの上に乗せようとする。ますますいやがる。

しまいには怒って猫をたたく。

「たたいてはいかんよ」

と叱《しか》る。妹はにらんで今度はわたしをたたく。

「こらっ」

と怒ってみせる。

「お姉さんが怒った、怒った」

とはやしたてる。

「もうしらん」

わたしのしたことは、母に言いつけることでした。わたし十九歳五か月、妹五歳七か月。


老人（わたし）の生活。

若さがない、張《は》りがない、生きがいがない、目標がない……。

あるのは衰えていく体だけだ。

何で生きてなきゃあならんかと思う。反面、生きたいと思う。

楽しいことといったら、食べる、読書、書くことしかない。他の十九歳の人ってどんなことを楽しんでいるのかなあ。

年が明けたら再び入院だと前回受診の時言われたけど、悪くなっていくだけで回復の徴候がないだけに恐ろしい。

考えると泣けて仕方がない。闇《やみ》の中でのたうちまわるのがわたしの人生か？　畜生め！　十九歳が何だ、二十歳が何だ、なんて開き直ってみたところで道が開けるわけではない。

わたしが泣くと、みんな気が滅入《めい》る。

泣くと鼻がつまり、頭が痛くなり、疲れる。

なのに、どうして泣く。

仕事にしろ趣味にしろ、とことん追求していくものがない。

人を愛することも、自分で立つこともできなくて、ヒィーヒィー泣いている。

泣き顔を鏡に映してみる。なぜ泣くの？


昼ごはんは、「お湯を入れて、ハイ三分」のインスタントラーメンだった。

おつゆが上手くすすれなくて、すぐむせてしまう。これが苦しいんだよね。だれもいない時むせて呼吸できなくなったら、命とりになってしまう。

寄宿の先輩のちかちゃんは、小児麻痺《まひ》でヨ、ド、タ、ラ、リ、ンだったけど、湯呑《ゆの》みでお茶が飲めた。池口君はストローを使ってた。

どうすればこぼさないで飲めるだろう。

飲み込む時の筋肉の力が衰えているんだろう。

口元を重点的に考えた。おちょこでお酒を飲むみたいに、チビリチビリと少しずつ飲んでみる。一回もむせなかった。嬉しかった。

もう一つ嬉しいことがある。

今まであたりまえのことができなかった。恥ずかしいけど、トイレに間に合わず着替えばかりしていた。尿意があってから行動を起こしているから間に合わないことがわかったので、時間をきめてトイレに行くようにしたのです。そしたら一回もしくじらなくてすんだ。

嬉しくてだれかに話したかったけど、こればかりは人に言えず、一人で喜んでいます。

同級会

先生五人、生徒と父兄十七人が、料亭「田舎《いなか》」に集まった。

みんな元気そうでよかった。

料理がでる前、暖かい日ざしの縁側へみんな集まって立ち話をしていた。座っているのはわたしだけだった。

鈴木先生がそばへきて、あぐらをかいて座ってくれた。目の高さが同じになった。そしてシンガポールのお土産《みやげ》だと言ってハンカチを下さった。先生の目はやっぱり象さんの目のように優しかった。

洋ちゃんは働いて得た給料から、『チェリーちゃんとアインシュタインぼうや』（大橋照子）の本を買ってプレゼントしてくれた。

たくさんの料理を、楽しく笑いながら、腹いっぱい食べた。

「久しぶりに日本料理のフルコースが食べられたし、みんなにも会えたし、生きているとやっぱりいいことがあるね」

と母が言った。

「うん、本当にね」

と答えた。

一日に一言《ひとこと》か二言《ふたこと》しか話さない人がいたとしたら、その人は社会の中で生活していると言えるだろうか。そんな人に、わたしはなりつつある。

自分のことが何もできず、人に世話をしてもらわねば生きていけない人がいるとしたら、その人は社会生活をしていると言えるだろうか。それは、わたしです。

人の役に立ちたい↓人に迷惑をかけないように自分のことだけでもやるようにしよう↓人の世話にならんと生きていけない↓人の重荷になって生きていく……これが私の生い立ち！


雪が降る。電気ストーブ（石油ストーブは喉《のど》を刺激するのでわたしの部屋だけに使用している）を最強にしても、コタツの中に入っていても、しんしんと寒さを感ずる。

『橋のない川』（住井すゑ）を正月から読み始めて五巻をイッキに読んでしまった。すぐ夢中になる悪いくせ。訓練もさぼってしまった。

部屋から廊下に出ると空気が冷たい。ゾクッとする。風邪をひいたら大変と、綿入《わたい》れの半てんを着る。だけど体が硬くてカチカチになってしまい危険を感ずる。

寒いうちは部屋でごはんを食べることにした。

食事を運んでもらって、一人で食べるのは寂しいけど、時々妹や弟がいっしょに食べてくれる。

だけど、寝る所と食べる所が同じなんてイヤだな。

交通事故

妹のアコちゃんが、自転車で下校途中、一旦《いったん》停止を怠《おこた》った車にはねられて、救急車で病院に運ばれ入院した。

どうしたらいいかわからない。大丈夫かな? ただ祈るだけです。

母が病院から帰る。右下肢《みぎかし》の骨が二本とも折れてしまったので、腫《は》れがひいたら手術するのだそうだ。

アコちゃんは、痛いのを我慢して、

「お母さん、ごめんなさい」

と泣いていたという。

「頭でなくてよかった、本当によかった」

と、しんみり話す母の姿が、心なしか小さく見えた。

「つれてって」

と言ったら、

「手術が終わって笑顔がでるようになってからね。亜也が泣くと傷が痛むから、もう少ししてからね」

ああ飛んで行って「ガンバッテネ」と言ってやりたい。

弟、学校帰りに妹の病院へ寄ったのに容態を話してくれない。よほど悪いのか。

甘納豆《あまなっとう》ほしいけど、アコちゃんが良くなるまで耐えとるでね。ガンバッテネ、アコちゃん。

お母さん大丈夫かな、ろくに寝ていない。

「あせりと不安を受け持っとるだけで、何もしてあげれん」

と母に言ったら、

「転んで怪我《けが》しないようにね、それが一番の手助けになるからね」

消極的協力だと思ったけど、うなずいた。

「お母さん、わかってる。泣かなくなるまでアコちゃんに会えんでしょ。泣かないようにするから、きっとつれて行ってね」とたのんだ。

妹のリカが、急に、「死にたい」と言った。

死という言葉を聞いただけで、わたしは真剣になる。「痛いよ」とおどしても、「いいよ」と言う。あわてて、「ピクニックにも行けんくなるに」と言ったら、やっと「イヤダ、やーめた」と言ってくれた。

彼女は、重大な意味で言ってはいないのだが、わたしは、何故《なぜ》か真剣な気持ちで思いとどまらせようとしていた。


春を感じる風、草の芽だって伸《の》び伸びしてきた。寒いとき運動しなかったためか、左足アキレス腱《けん》の伸びが悪く、座りにくい。WC恐怖症となる。肩もよく凝《こ》るし、暑いのに汗が出なくて気持ち悪い。

舌の運動も悪く、ソフトクリームが舐《な》められない。話しにくいのもそのせいか。

山口さんの弟が車を買った。ドライブにつれて行ってあげると、突然誘ってくれた。

春の日がうららかで、なずな、れんげ、たんぽぽ、それに早咲《はやざ》きのクローバーがきれいだ。花輪《はなわ》を作りたかったけど、自分一人では無理だし男の人に頼むのは恥ずかしいのでやめた。一本だけ、どぶの方にはみ出していたクローバーがあった。落ちないかと心配してのぞいたら、大丈夫、大きな根っこがありました。

支えるものがあると力強いんだなあと感ずる。

帰りに山口さんの家へ寄る。エレキギターを聞く。すごい迫力だった。今、凝《こ》ってるんだって。もっといろんな装置がほしいけど、「先立つものは金」だと言ってた。

わたしは「先立つものは健康な体」だ。金より難しい。

お母さん、もう歩けない

赤ちゃんは、八か月で座り、十か月ではいはい、一歳すぎると歩くんです。

歩いていたわたしは、這《は》うようになり、今は殆《ほとん》どお座りの状態！　退化しているのです。

そしていつの日か、寝たきりになってしまうのだろうか……。

我慢すれば、すむことでしょうか。

一年前は立っていたのです。話もできたし、笑うこともできたのです。

それなのに、歯ぎしりしても、まゆをしかめてふんばっても、もう歩けないのです。

涙をこらえて、

「お母さん、もう歩けない。ものにつかまっても、立つことができなくなりました」

と紙に書いて、戸を少し開けて渡した。

顔を見られるのがいやだったし、母の顔を見るのもつらかったので、急いで戸を閉《し》めた。

トイレまで三メートル這って行く。廊下がひんやりと冷たい。足の裏は柔らかく手の平のよう。手の平と膝小僧《ひざこぞう》は足の裏のように硬くなっている。みっともないけど仕方がない。ただ一つの移動手段なんだから……。

後ろに人の気配がする。止まってふり向くと母が這っていた。何も言わずに……床にポタポタ涙を落として……。押さえていた感情がいっきに吹き出し、大声で泣いた。

しっかりと抱いて、泣きたいだけ泣かせてくれた。

母の膝がわたしの涙でびしょ濡れになり、母の涙がわたしの髪を濡らした。

「亜也、悲しいけどがんばろうね。お母さんがついているからね。さあ、お尻が冷えるから部屋へ行こう。亜也をおんぶする力くらい十分あるから、地震《じしん》がきたって火事になったって、一番に助けてあげるから心配しないで安心して寝なさい。余分なこと考えなくてもいいからね」

と、抱いて部屋へつれて行ってくれた。


わたしは、ぐずぐず泣くことしかできん人間になってしまいました。

劣等感の固まりが頭の中で成長しとります。

障害ゆえの産物だと思います。

でも生きとります。

死ねないから、しょうがないので息をして生きています。恐ろしい、言い方です。

泣くとまゆにしわがよりみっともない顔になっちゃう。鏡を見つつ顔を修正するため、おかしくないけどニャッと笑う。

生きてゆこうよ
青空を思い切り吸《す》い込《こ》んでみたい

クールミンツのさわやかな風が　そっと頬《ほほ》を撫《な》でるだろう
あなたの澄《す》んだ瞳《ひとみ》に映《うつ》る　白いちぎれ雲
夢見てたの　素晴らしいこのひとときを……

青空に向かって思いきり　飛び上がってみたい
コバルトブルーの羽衣《はごろも》が　ふんわり包んでくれるだろう
醜《みにく》いなんて思わずに　どこかで役立つことを　ひたすら信じて

わたしはどこへ行けばいい？
一人でヒィーヒィー泣くだけだから
どこでもノートがお友だち
何も答えてくれないけど、書けば気持ちだけでも晴れてくる
求めているんだよ　救いの手を
だけど届かないし　逢えもしない
ただ暗《くら》ヤミに向かって　吠《ほ》えるわたしの声が響《ひび》くだけ

猿から人へ進化するのに、すごく長い年月がかかった。しかし　退化していくのは早い……

昼、一人でいるのがいやなんです。

話せなくなっちゃいそうで、絵本を大きな声で読んで発声練習。深呼吸五回と首上げを十回やる。

一人の時は危ないからあまり冒険しないようにね、顔を見るまでは心配だから、という母の言葉が、わたしの行動を消極的にしてしまうけど、実際、転んで唇を腫《は》らしたり、歯を折ったりしてるんだからもっともなことだ。

亜也の一人暮しを心配して、純ちゃん母子《おやこ》が遊びにきてくれたり、隣《となり》のおばさんがのぞいてくれるけど、心の中は満たされない。

目標がない毎日は、とてもつらいんだ。

頭の中でブツクサ思っているだけで、行動がない。

いつまで続くのか、この生活が……。

お母さん苦しいよう、助けてくれえ……。

入浴も一人では危ないからと、母か妹が、ショートパンツをはいていっしょに入ってくれるようになった。

アコちゃんが、髪と背中を洗ってくれる。

右手が上がらなくなってしまった。

肩の関節が固まってしまったようだ。


to Dr. Yamamoto（山本先生へ）

「失ったものより、残されたものを大切にしてね」

と先生はおっしゃった。

いつか光輝くから、緑萌《みどりも》えるから……。

希望を持って、未来を見つめて、さあ立ち上がれ、ガンバレ、ガンバッテネ……。

それが、合言葉《あいことば》さ！

「くよくよしたって何ももどってきやしないんだ。残されたものを、失ったもの以上に伸ばしてね」

と、わたしの信じた先生はおっしゃった。
がんばろう、がんばります。
わたしは誓います。くじけないってこと……。
雨が降り出しました。
天気はいいなあ、気まぐれで……。
気まぐれじゃあ、人間、生きていけないよね。

内容がちゃらんぽらん
頭の中はくちゃくちゃ
字は、フーラフラ
いいとこなしの、コンコンチキ
何が残っているというのだ。

家族が旅行に出かける夢を見た。車椅子では行けないところだった。
「みんな行っていいよ。家で待っているから」とにっこり言えた。

これからは、特にそういうことがふえると思う。現実でも、心したい。

限界

入梅時は病人に良くない季節と人はよく言うが、階段を転げ落ちるように悪くなっていく。

下痢する、体がだるい、脱水症？

腰がフラフラする。飲みにくい。

転んで唇から出血。

文字や物が見にくい。焦点が合わない。

寄宿舎祭りの連絡があったけど、とても行く気力がない。障害がこんなに進んでしまったから。

恐ろしいほど文字を書かない日が続いている。

もうダメかも知れない。

ボールペンが上手く使えない。書いていないせいだと思いたい。

20歳——病気に負けたくない

トイレで転ぶ

母がケーキを買ってきたけど食べる元気もない。ほとんど一日中寝ている。これではいけないと思い直して、寝床で腹筋運動をしたけど一回でダウン。明日から夏休みに入る。弟妹いっしょに外出しないよう打ち合わせして行動するようにと、母が話している。

心強い。迷惑かけてごめんね。がんばって良くなるように努力するから、許してね。

トイレに行く。母や妹にズボンを下げてもらい洋式トイレに座らせてもらう。いつも外で待っていてくれる。ある日、フラフラして横にユラッ、ドターンと転んだ。どこで切ったかわからないけど指から出血している。そのまま気を失った。

しばらくして気がついたら、ベッドに寝ていた。母や弟妹の顔がかすんで見えた。そしてまたスーッと眠りに入る。

「血圧が低いのでふらついただけよ。心配せんと、ぐっすり寝なさい」

と母の声が、かすかに遠くの方で聞こえた。

七キロもある鉄でできた便器が備えつけられた。名古屋の身体障害者用具専門店で安定性のあるものを選んできたそうだ。

ついでに褥瘡《じょくそう》（床擦《とこず》れ）予防のビーズマット、フトンを汚さないためのシーツが敷かれた。

小さな座り机の横には、筆記用具、ノート、便せんなど、手が届く所に整理され、机の上にはふると大きな音の出る鈴が置かれた。

一日の大半を寝て過ごすようになってしまった。三度の食事も、飲み込みが悪く気道に入るのがこわくて少量しか食べれない。

朝食を食べ終わって一時間もすると昼食の時間になってしまうほど、ゆっくりしか食べれない。食べて、寝て、排泄《はいせつ》して、それで一日が終わってしまう。しかも手伝ってもらって……。

いよいよ在宅不可能一歩手前の生活となる。

病気について、グタグタ考え込むのはもうやめた。

病院探《さが》し

母と名古屋保健衛生大学病院へ行く。

助手席を倒し寝たままの姿勢で、病院へ着くまでほとんどウツラウツラしていた。

母は、

「入院させてもらえるよう強引に頼むから安心してなよ。暑さに負けただけだから、涼しくなるまでの辛抱《しんぼう》だよ。亜也はがんばり屋さんだから、きっと良くなるからね」

と言ってくれたが、今度こそはもうダメかも知れない。体力も気力もない。考える力もないから、闘うなんてとてもできそうもない。病気に負けたくないけど、病魔が強すぎる。

「いつものように待合室で長く待つわけにはいかない。衰弱がひどいから救急患者扱いにして早く診《み》てほしい。他の患者さんが許してくれないなら、この子の状態を話して納得して頂くよう一人ずつお願いするから」

と、ストレッチャー（寝台車）に寝ているわたしに聞こえないように、母が外来のナース（看護婦）とかけ合っていた。

「山本先生に聞いてきます」

と奥に入ったナースと入れ違いに山本先生が現われた。

「亜也ちゃんお久しぶり、待っていたのよ」

と手を握ってくれる。

〝ああこれで生きられる。このまま死ぬのは残念だ。もう一度書くことができるようになったら思い残すことはない〟

またも先生に救われたと思ったら、涙があふれてきた。母も泣いていた。

相談した結果、知立市《ちりゅうし》の秋田病院へ山本先生が月二回診察に行くから、そこを紹介すると言って下さった。

「病室の手配ができ次第早急に入院しましょう。それまで待っていてね。亜也ちゃんはわたしの目の届く所にいてほしいから」と先生に言ってもらい、ほっとする。

上唇《うわくちびる》の形が転んでゆがんでしまい、かみ合わない。飲み込みにくいから喉《のど》の緊張を和らげる薬を下さい、と家で書いてきたメモを渡す。

診察を終えて、また二時間車に揺られて帰宅する。

「食べたい物、食べれそうな物、何でもいいから言うんだよ。体力つけんといかんからね。何かほしいものある？」

と聞かれたので、

「ケーキを焼いてほしい」

と言ったら、母は、

「ウヘェー、これはアコちゃんの方が腕がいい。アコちゃん、オネエがケーキ作ってほしいんだって！」

アコちゃんはにこにこしながら、

「明日《あした》一番に作ってあげるから、お楽しみに」

くたくたに疲れたので、すぐに寝る。

母、秋田病院へ一人で行く。どんな病院かを見て、先生と会ってよく話してくるから、と寝ているわたしに言って出かける。

妹には、オネエのいるものを聞いて荷物をまとめ箱に詰めておくようにと、言いつける。

入院、家政婦さんに付いてもらう

秋田病院に入院することになった。

馴《な》れない病院で緊張する。

小柄《こがら》なおばあちゃんが、わたしの世話をして下さることになった。

「亜也です。よろしくお願いします」

と小さい声で言う。

母が細々《こまごま》と、病状や、できないことなどを説明してくれたけど、わかってもらうまでは難儀《なんぎ》なこと。

言語障害が進んできたので、理解できにくい言葉がきっとあるからと、マジック黒板を買ってきてもらう。

舌の動きが悪く食物がはみでてしまい、汚らしい食べ方になってしまう。自分が情けない。

意思の伝達が上手くできないのがつらい。

一番しっかりせにゃいかんのは自分だ。でも心細くて……。

お母さん、わたしは何のために生きているのだろうか？

目まいがする。泣き顔になったけど目をつむって、じっとしていた。

窓の外の、木の枝に鳩の巣がある。小鳩が大きくなった。嬉しいな。

おばあちゃんに車椅子に乗せてもらって、第一病棟へつれて行ってもらった。

そして、な、な、なんと洋式トイレで、用をたしたのだ。

リハビリの時、棒につかまって立つと目をつむってしまい、なかなか開《あ》けられない。

こわがってはいけないけど、転びそうな気がして体が硬くなる。

今できることは何かを、しっかり見極めて実行しよう。そうすれば夜、悶々《もんもん》と寝れないほど苦しまなくてすむだろうから……。

意思伝達の動作が早くできないので、排尿が間に合わない。夜だけ、バルーン（排尿袋）をつけようか、と母が言った。家政婦さんが寝られないと疲れてしまうから、というのが理由だ。

「排尿の感覚はあるからいやだ。早く知らせるようにするから、やめて」

と言って泣く。

「よしよし、つけんから泣かなくていいよ」

と、おばあちゃんに優しく言われてよけいに泣けた。

朝、廊下で院長先生が、

「おはよう、チビ、元気でやっとるか」

と言ってくれた。

笑って、口を丸くして、「オ・ハ・ヨ」と言ってたら、先生の姿はもう遠のいていた。忙しいんだね。

泣き顔が定着しつつある。イカン。

夜中に手足が緊張して硬くなった。おばあちゃんが起きて、さすってくれた。

言っている言葉がなかなか通じなくて、かんしゃくを起こして泣く。

わかってもらえんのは自分が悪いんだから怒ることはない。おばあちゃん、ごめんね。

よい天気、立ちたい、話がしたい。

字がきれいになった。食べ方も少し早くなったしこぼさなくなったね、とおばあちゃんがほめてくれる。

少しでも快方に向かうと生きがいとゆとりがでる。人のことを思いやって生きていこう。

今度山本先生がみえるまで、一人で車椅子に乗れるようにする、と約束。

青空を見た。やっとかめ、吸《す》い込まれそうにすき透っていた。

ナ行、ダ行がはっきりしない。
カ、サ、タ、ハ行も言い難《にく》い。
言える言葉がいくつ残っているだろう。
何とか克服《こくふく》しなくてはいけない。もっと根性を持て！　病気に負けるぞ！

お昼におばあちゃんがお好み焼を買ってきてくれた。半分ずつ食べた。おしる粉もある。

熱が出た。話す元気もない。体がだるい。
一日中寝ている。おばあちゃんが心配そうに顔をのぞき込む。
かすみおばちゃんが、病院の中の喫茶店につれて行ってくれる。
レモンスカッシュをスプーンで、一さじずつ飲ませてくれた。

一生行けない所だとあきらめていただけに、嬉しかった。

おばあちゃんの手に、ヒビ割れができた。

とても痛そうだ。

夜の失敗のために、おむつを洗ってばかりいるからだ。ごめんね。

ドラゴンズ優勝！　なぜか赤飯《せきはん》と茶碗《ちゃわん》むしがつく。院長先生かコック長さんがファンかな？

立ちたいと思って一人で立ったら、ブランコみたいに揺れて転びそうになりこわかった。

おばあちゃんが助けてくれる。

朝、誤飲した。こわかった。どんなにおいしいものでも気をつけて食べんと命とりになる。

おばあちゃんにトイレにつれて行ってもらった時、きれいなコスモスが花びんにあふれるほど生《い》けてあった。二人で目くばせして一本失敬して、部屋の花びんに挿《さ》す。

山本先生に、

「おばあちゃんに甘えすぎだ。自分でできることをみつけてやりなさい」

と叱られる。

起きている時間が長ければいいと喜んでいたのがいけなかった。

今日からボタンかけの練習をしよう。


歩けた！　おばあちゃんにもたれかかって、公園につれて行ってもらう。土いじりがしたかった。土の上に足の裏を乗せてみたくなり、車椅子の足台から、そっと地面に足を降ろしてもらう。ひんやりとしたいい気分！


ボタンかけの練習を必死でやる。

リハビリで、寝返りや膝立ちの練習も必死でやる。

おばあちゃん、わたしの姿に感激して応援してくれる。そして、トレパンと上着を買って下さる。もっと、ガンバロウゼ……。

正月には家へ帰りたい。言葉が通じるだろうか？　もし通じなかったらどうして伝えるか、心配と不安もあるが、やっぱり帰りたい。

コスモスのつぼみが開いた。

おばあちゃんが、わたしが訓練しているところを見て、「よくがんばったね」と泣いてくれた。

ある日、母に、「一度見てやってよ、一生懸命にやっているから」とおばあちゃんは言ってくれた。けど、母は、「とても辛《つら》くてよう見とらんから」……、そして、「亜也、えらかったね、正月は家へ帰ろうね」と言った。

不覚にも、ウンコをもらす。

「おばあちゃん、ごめんね」

「仕事だからしょうがない」

やはり割り切るのが辛《つら》い。

昼食にハムを食べた。久しぶりに食べるハムの味が過去をよみがえらせる。

おばあちゃんに感謝の気持ちを、なんて示せばいいのだろう。

わたしはお金がないから物は買えんし、早く治って、おばあちゃんの世話をしてあげられるといいな、待っとってね。

今を懸命に生きる

後《あと》十年したら……、考えるのがとてもこわい。

でも今を懸命に生きるしかないのだ。

生きていくことだけで、精いっぱいのわたし。

若いのに動けない、ジレンマとアセリ……。

でも、わたしは患者さん、養生《ようじょう》を第一に考えよう。

書くことを戒め給ひし　君一人
ありがたきことと　手を合わせ
思ひつ　病床……（注・以後、文字が乱れて判読できない）

体が衰弱すると生理もなくなってしまうことを知った。
六か月ぶりによみがえった女性としてのしるしは、体の回復のきざしと思った。

病室からかいま見る青い空　我に一筋の　希望を与えん

ア・リ・ガ・ト

おばあちゃんがいなければ、いや、人に頼らなくては生きてはいけないのだ。
寝返り、下《しも》の世話、着ること、脱ぐこと、食事、座る、すべてそうだ。
母は、わたし一人の母ではないから弟妹の世話と仕事をしなくてはならない。
おばあちゃんは、わたし一人のためにいっしょに生活してくれている。
好きなうどんや餅を煮てくれて、少しでもたくさん食べ、早く良くなって家へ帰れるようにと世話をしてくれる。そしておばあちゃんの息子さんのお嫁さんも時々手料理を運んでご馳走《ちそう》してくれるし、お孫さんには写真をとってもらうし、おばあちゃん一家にはとっても世話になっている。

話せないわたしは短く、

「ア・リ・ガ・ト」

とだけしか表現できないけど、本当は、もっともっとたくさんの言葉で嬉しい気持ちを伝えたい。

人はそれぞれ言いしれぬ悩みがある
過去を思い出すと涙がでてきて困る
現実があまりにも残酷できびし過ぎて
夢さえ与えてくれない
将来を想像すると、また別の涙が流れる

21歳——生命ある限り

（母・木藤潮香）

「お母さん、すぐきて下さい！」

病院から職場に入った電話で、どこをどう走ったか記憶にないほど、慌てて病院へかけつけた。

ベッドサイドにいた医師、大勢の看護婦をかきわけて亜也の側へよる。

「どうしたの？」

ヒクッ、ヒクッと、しゃっくりのような呼吸をしているが、私の顔をみて、ニコッと笑った。

〝ああ生きていてよかった〟と思わず抱きしめた。

痰《たん》が喉にひっかかりとれずに苦しんでいるのを同室の患者さんがみつけ、看護婦に知らせ、救急処置をして一命をとりとめた、と医師から聞かされた。

発熱、誤飲、そんなちょっとしたことにより、階段をストン、ストンと一段ずつ落ちるようにして病状は進行し、このころから、文字は殆ど判読できないほど乱れてきた。

しかし、生きるために書きたいという、亜也の気魄《きはく》は少しも衰えず、思うように動かない手に、満身の力をこめてマジックペンを握りしめ、スケッチブックに書き続けていました。

今ではそれすらできなくなってしまいましたが、病魔と必死に闘いながら、今日も心の中で書き続けていると思います。

病と闘い続けた亜也へ

亜也ちゃんについて

藤田保健衛生大学
神経内科助教授
山本　纊子
(現在同大学教授)

はじめに

九月下旬のある水曜日の午後。延々《えんえん》と続く外来に、待つ側も診察する側もちょっと疲れかけてきた頃、突然、亜也ちゃんのお母さんから電話があった。長らく書き綴って来た亜也ちゃんの日記を出版する準備をしているから主治医であった私に病気のことや亜也ちゃんとの交流について書いてほしいという依頼だった。

亜也ちゃんに日記を付けることを勧《すす》め、本にまとめたらと言いつつ、なかなか手伝うことができないのを苦にしていた私は、出版に向けて動き出そうとしていることに安堵《あんど》し、心から喜んだ。そしてまた、今はもう自分で起き上がることさえできずベッドに寝たまま、人手を頼って食事をし、用を足《た》している亜也ちゃんのため、何とか早く本を完成させたいと思っているお母さんの話しぶりに胸つまる気持ちで引き受けたが、亜也ちゃんとの出会いは、私の医者としての成長にも深く関連していることなので、振り返ってまとめておく良い機会でもあると思った。

亜也ちゃんの宿命の病気〝脊髄小脳変性症《せきずいしょうのうへんせいしょう》〟のくだりでは多少難解な部分もあろうが、彼女の生き方を理解するために重要なので辛抱《しんぼう》して読んでいただきたい。

亜也ちゃんの病気「脊髄小脳変性症」とは？

人間の脳には約一四〇億の神経細胞《しんけいさいぼう》とその十倍もの神経細胞を支持する細胞がある。それぞれの神経細胞は多くのグループに分けられ、運動する時に働くものもあれば、見たり聞いたり感じたりする時に働くものもあり、およそ人間が生きている間はたくさんのグループの神経細胞が活動していることになる。

脊髄小脳変性症はこれらの神経細胞グループのうち反射的に体のバランスをとり、

素速《すばや》い、滑《なめ》らかな運動をするのに必要な小脳・脳幹《のうかん》・脊髄の神経細胞が変化し、ついに消えていってしまう病気である。どうして突然、細胞が消えてしまうのかはわかっていない。全国的な統計では一〇〇〇余の患者さんが集められたが、実際にはこの二〜三倍位はいるらしい。

〝病気のはじめ〟は自分で身体がふらつくと感ずることが一番多い。「ちょっと疲れたかな」とか「貧血かな」と思っていると次第に真《ま》っ直《す》ぐ歩けなくなり、人からも「酔っているの?」などと言われる。目が霞《かす》んだり、物が揺れたり、二重に見えたりする、舌がうまくまわらず喋《しゃべ》りにくい、尿の出が悪くなりトイレに行った後もまだ残っている感じがする、立ち上がると急に血圧が下がり失神したりする――などが病気の始まりということもある。

病気の経過

ふらつきが激しくなり、歩く時に支《ささ》えがいるようになり、さらに進めば一人で足をそろえて立つことができなくなる。喋るのもだんだん発音があいまいになり、リズムがくずれて何を言っているのかわからなくなる。手や指の動きも自分の意のままにならず、字を書くこともむずかしく、書いても読めない。食事をする時も箸《はし》が使えなくなり、スプーンを使っても正確に口に物を運ぶことができない。人に食べさせてもらっても、飲み込むのに時間がかかり、時にはむせてあたり一面、ごはん粒《つぶ》だらけとなったりする。

どの症状もわずかずつだが確実に進行し、ついに一日中ベッドの上で寝たままという状態に追い込まれる。床《とこ》ずれができ化膿《かのう》したり、飲み込みに失敗して気管の方に食物がまちがって入って肺炎をおこしたり、尿が膀胱《ぼうこう》に残りその中で細菌が増え膀胱炎・腎盂炎《じんうえん》を起こしたりして五〜十年で亡くなるのが普通である。

治療方法はないのか

原因がわからないので治療もまだ暗中模索の状態である。病気が悪くなるのを一時的に止める、あるいは悪くなるスピードを少しゆっくりにする効果のある薬が注目されているが、使われ始めてから日も浅く、長い目で見ていかねばならない。

また、近年の目覚ましい遺伝子工学の発達で、遺伝性の場合には、病気を起こす遺伝子がどの染色体にのっているかを決め、病因となる遺伝子を健常な遺伝子に置き換えることが可能となるのは時間の問題だが、この時起こるであろう遺伝子操作の是非の議論に患者や家族など当事者の悲痛な声が充分《じゅうぶん》に汲《く》み取《と》られることを望みたい。

しかし当面は運動訓練を続け、からだ中の筋肉が痩《や》せないように努《つと》め、身のまわりのことはできるだけ自分でするよう、指導するのが最も効果があるというのが現状である。

この病気を患者さんにどう話すか

専門医にとってはこの病気の診断をするのは、それほど難しくはない。しかし、患者さんやその家族に病気をどのように話すかで悩む。

徐々《じょじょ》に悪くなり治ることはないと知りながら「大丈夫、治りますよ」と患者を勇気づけ、家族にもある程度は説明するが、治らないこと、進行することを話さない医者もいれば、治療の方法がない難病だとのみ患者や家族に告《つ》げて匙《さじ》を投げる医者もいる。

私は「この病気は治すのは難しく、しかもゆっくりと悪くなる可能性があるが、今は種々の治療薬が開発されつつある」ことを話し、さらに歩くことができるのはあと何年位とか、座って手足を動かし何かできるのはいつまでと、かなり細かく説明する。

患者さんや家族は一時ショックを受けるがしばらく見守っていると気をとり直し、新しい生活設計を立て、病気をなだめながら社会生活を送っていく。しかし一方では、「治りますよ」というもっと心強い言葉を求めて、あちこちと病院を巡回して歩き、再び私の外来には来ない患者さんもいる。真意《しんい》が理解してもらえなくて寂しいが、しょせん馬が合わなかったのだと思う。

そこで、私のところに来る患者さんやその家族は主治医である私とよく似た考えの人達だろうと思われる。木藤亜也ちゃん（もう成人した女性をそう呼ぶのはおかしいが、私には亜也ちゃんなのです）とそのお母さんも、そうした患者さんとその家族の一員である。

亜也ちゃんとの出会い

三年間の滞米を終え、帰国したばかりの私は名古屋大学第一内科第四内科研究室（現・神経内科）に所属し、脊髄小脳変性症の全国集計の解析《かいせき》の手伝いや教授の外来患者の診察所見をカルテに筆記する仕事をしていた。

ある日のこと、おかっぱ頭の中学生の女の子がお母さんにつれられて診察室に現われた。最近は小児科にも神経の病気を診察する専門医が増えたので子供が神経内科を受診するのは珍しかった。わざわざ月曜日の内科の外来に来たのは、教授が「厚生省《こうせいしょう》特定疾患《とくていしっかん》・脊髄小脳変性症《せきずいしょうのうへんせいしょう》調査研究班」の班長であることを職業柄よく知っていたお母さんの判断で、お母さんはその頃、豊橋の保健所勤務の保健婦さんであることをあとで知った。

昼下がりの明るい診察室の真ん中に座った女の子のカルテには「木藤亜也、十四歳」と書いてあった。小さな丸顔に大きく見開いた眼が利発な印象を与え、教授と母親が話しているのを交互に見る眼の動きが不安気であった。一度の診察で「脊髄小脳変性症」と診断して、教授はお母さんに病気を説明し、脳の内部の様子を見るためのCTスキャンと、症状をくわしく分析するための重心動揺検査や眼球運動検査をすることを指示され、一か月に一度ほど外来に通ってもらって経過を見ることになった。

私はこの時、不安に潰《つぶ》されそうになりながらもきっぱりとした態度の亜也ちゃんとお母さんに感心し、親近感を覚えた。しばらくして私は別の診察室で自分の外来を持つことになり、亜也ちゃんの診察に立ち会うことはなくなったが、同じ曜日なので、廊下などでよく顔を合わせた。

お母さんは病気のなりゆきをよく知っており、どうもふらつきが少し強くなり、つまずいたりするとか、ノートの字が少し乱れるようになったとか心細そうに話す時もあれば、亜也ちゃんの学業成績が良く、授業態度が良いので内申点も高く公立高校に進学できそうだとか、英検3級に合格したことなどを嬉しそうに話す時もあった。私は病気に負けないで頑張っている亜也ちゃんについ肩入れし、同僚に「英検3級ってかなり難しいのよね」などと自分の娘のことのように自慢していた。

鶴舞公園の桜の蕾《つぼみ》が脹《ふく》らみ、薄《うす》桃色の花弁がちらほらほころび始めた頃、亜也ちゃんが私の診察室のカーテンの端から「先生、合格しました」と、にこやかな顔を見せた。「おめでとう、頑張ってね」と答えながら、「せめて卒業まで何とか病状が進まないでほしい」と、願わずにはいられなかった。それは同時に、開発されつつあった治療薬に関連している研究をしていた私自身を励ます力ともなった。

亜也ちゃんの入学した高校は愛知県豊橋市にある進学校で、活気ある高校生活が始まった。しかし間もなく、亜也ちゃんは体のバランスが悪くなり、朝の混雑したバスで通学できず、保健婦として忙しいお母さんが自家用車で送るようになったが、途中で転んで膝を擦《す》りむいたり、額《ひたい》にコブをつくったりして外来に来た。成績が少しずつ悪くなっていくようだとお母さんは一瞬、顔を曇らせたが、すぐ明るく「試験の時に書くスピードが遅いので、時間切れになるのでは仕方ないですよね」と笑われた。

実際、ノートも充分とれず、授業によって変わる教室への移動も遅く間に合わないことがあるとかで、高校の方からも問題にされているという。だが亜也ちゃんが必死になって教科書を持って歩いて行くのを見て、級友たちは本を持ったり、手を取ったりして色々面倒をみてくれるらしい。感謝しつつも、自分の体の不自由さにどれほど悔しい気持ちであったろうと思われるが、亜也ちゃんはいつもにこやかで、少しずつ痩《や》せてますます小さくなってゆく顔の中で、大きな眼が揺れていた。

夏休みに新しい治療薬を試みるために入院することになった。

亜也ちゃんの入院

名古屋大学付属病院４A病棟に入院中の亜也ちゃんは看護婦さんの人気者であった。高校生だが童顔であどけなく、病気を少しでも良くしたいと素直に皆の言いつけを守り、自分でも手足の運動など計画して実行するので可愛がられないはずはない。新しい薬も多少の効果はあったが、日常の不自由を改善するまでには至らず、看護婦さん達から「先生、亜也ちゃんはあんなに頑張っているのだから何とかしてやって」と主治医が責められるのには困った。

この当時は教授の高名を聞いて、全国から脊髄小脳変性症の患者さんがたくさん集まり入院していた。亜也ちゃんや一つ年下のU君は若くて元気の良い患者さんだったが、中には車椅子でトイレには行くが、あとは一日中ベッドの上で寝たきりの人もいて、目敏《めざと》い亜也ちゃんは症状の重い人の名をあげて「私もそのうち、あんなふうになるの」と聞いた。

将来の進む道などあれこれ夢に描き、回診時に私の反応を見ながら話す亜也ちゃんを見て、そろそろ病気のことについて正確に説明する時期だと感じていた私は「ずーっと先のことだけどやっぱり同じようになると思うわ」と答えた。

この先、ふらつきが徐々に進み、ついに歩くことも難しくなること、言葉もはっきりしなくなり人にわかってもらえなくなること、字を書くことや手芸などの手仕事が困難になることなど経過を追って詳《くわ》しく話した。

その後、数日は元気がなかったが、しばらくして、亜也ちゃんの方から「先生、私はいつまで歩けるの」とか「こんな仕事だったらできるかしら」といった、積極的な質問をするようになった。不憫《ふびん》だったが、話して良かったと思った。

事実、このあと、二人の精神的な絆《きずな》は強くなり、かなり深刻な病状についての事柄も隠さず話題にして、次に来るべき状況を前もって知り物事を決めることができるようになった。この入院では、病気を良くすることはできなかったが、今後の長い闘病生活に最も重要なものを得て退院したと信じている。

養護学校への転校

亜也ちゃんが通う学校で、心配していたことが持ち上がった。クラス全体が迷惑を蒙《こうむ》っているから、養護学校に移って欲しいというのである。教室を移動する時は級友が亜也ちゃんを支えて階段を昇り降りさせてくれて、「別に大したことではないからこれからも手伝うよ」という声もあるのに……と、お母さんは悔しがった。

クラスの応援があると聞いて私は本当に明るい気持ちになった。学校の方へ頼みに行くと言うお母さんに、「学校の先生から病気についての質問があればいつでも説明するし、何なら私も学校へ行きましょうか」と申し出たが、お母さんは「ひとりで行きます」と言って、忙しい仕事の合い間を縫って、何度も学校へ足を運び、懇願《こんがん》したようだ。しかし、結局、養護学校へ転校することになった。

養護学校の校内は車椅子で自由に移動することができるようになっており、リハビリテーションの設備もあって病気を治療しながら勉強できるよう配慮されているが、多くの級友たちに助けられて、何とか卒業できるようにと頑張っていた母親のショックは大きく、外来で「新学期から養護学校へ転校します」と、悲しい声で報告され、胸がつまった。教育の現場では、亜也ちゃんの扱いに困り、このような子のために養護学校ができていると判断されての処置であろう。だが亜也ちゃんは他の生徒にとって迷惑なだけの存在だったのだろうか。同級生の中には体の不自由な友達を助け労《いたわ》る気持ちがごく自然に芽生えて来ていたし、また亜也ちゃんの生きる真剣な態度に学ぶことも多かったのではないかと思われる。病気に関しての問い合わせもなく、規約通りにことを運ぶ教育に少なからず失望させられた。今はいじめの問題が取り沙汰されているが、少なくとも亜也ちゃんの通った高校の級友たちにはそのような暗い影は微《み》塵《じん》もなかったと思う。ずーっとあとになって入院した時にも亜也ちゃんは「高校の友達と会うから外泊許可を下さい」と嬉しそうに私に頼んだ。

保健衛生大学病院での入院生活

昭和五十五年四月、私は名古屋大学での博士論文の仕事を終えて、愛知県豊明《とよあけ》市にある名古屋保健衛生大学病院（現・藤田保健衛生大学病院）へ赴任した。電動式の車椅子が必要となり自家用車でしか通院できなくなっていた亜也ちゃんは名古屋より豊明の方が近いからと私と一緒に保健衛生大学病院へ移った。

新しい病院の診察室で亜也ちゃんを診察しながら、名大病院で初めて会った時と比べていた。

今よりももっと顔がふっくらとしていた。話す言葉もよくわかった。ふらついているといってもはた目には普通に歩いていた……。それがわずか五年で車椅子を押してもらい、話そうとするが言葉はすぐに出ず、細い首をねじるようにのばして声を出し、慣れた人でないと聞きとり難《にく》い言葉になってしまったなんて……。

亜也ちゃんは養護学校を終え、自宅で皆が仕事や学校に出掛けているうちは一人で昼ごはんを食べ、身のまわりのことをして留守番していた。家の中で物につかまって歩いていてもよく転ぶらしいとお母さんが留守番中の事故を心配していた。事実、外来に来るたびに顔や手足に転んで内出血を起こした傷があり、以前よりずっとひどく、多かった。

再度の治療とリハビリテーションを目的に二病棟八階の内科病棟に入院した。この病棟で初めての脊髄小脳変性症患者さんで、他に私の受持患者七〜八名とその他心臓病や血液病の患者さん達がいた。看護婦さんは若い人が多く、亜也ちゃんよりも若い人もいた。私が前からの癖で「亜也ちゃん」と呼ぶので、年下の看護婦さんまでが「亜也ちゃん」と言うのがおかしかったが、皆に可愛がられていた証拠でもある。

亜也ちゃんは車椅子を自分で操作し、不自由な手つき、しぐさで洗面し、トイレに行き、食膳を片づけたりした。リハビリテーションも欠かさず通い、病室では昼間は椅子やベッドに座って、本を読んだり、同室の人が皆で教えあっている手芸や折り紙に凝《こ》って、思うようにならない手に四苦八苦している姿がいじらしいと婦長はしんみりしていた。そして誰よりもこの姿に感動したのは同じ病棟の年配の患者さん達であった。

突然脳の血管が詰まったり、破れたりして半身不随となり、自分の手足が思うように動かせず、苛立《いらだ》ち、時にはリハビリテーションを休んだりして、運動する意欲のみか生きる意欲までも失いかけていた患者さんが、孫のような亜也ちゃんの真剣な努力の様《さま》をみて、もう一度訓練する気になりベッドの上で自ら手足の屈伸を始めたのだ。

家族も看護婦も喜んだ。主治医としては願ってもないことだが、回診のたびに口を酸っぱくしてリハビリテーションの効用を説き、意欲をもたせるようあれこれ話したのに、亜也ちゃんの車椅子を一生懸命押す姿ほど役に立たなかったと実感した。

「先生、わたし……、結婚できる?」

大学病院は患者さんの診療をするのみでなく、研究をしたり、医学生を教育して立派な医者に育てる役目もある。病気のことを一通り教わった学生達は六〜七人の小班を組んで、すべての科を一〜二週毎に巡回して、それぞれの科の患者さんを診察し、関連の本を読んだり、受持の先生から指導を受けたりして勉強していくポリクリというカリキュラムがある。外科系では手術の見学、産科では出産にも立ち会うので夜遅くまで病棟に出入りし、時にはポリクリ用に準備されたベッドに泊まることもある。

協力していただく患者さんには申し訳ないが良い医者を育てることも大切と考え、お願いする。快く引き受けて下さる方ばかりで、たび重なると患者さんが慣れて、学生の持参する教科書などを垣間《かいま》見たり、受持医が学生に説明するのを聞いたりして充分な知識を持ち、逆に次のグループの学生に教えたりしている笑えない話もある。亜也ちゃんは学生達と同年代でもあり、心のうちを気遣ったが学生には是非この病気をよく理解してほしかったので覚悟を決めて協力を申し込むと、ちょっと湿った笑顔で頷《うなず》いた。

女子学生を含めて三人が担当したがいつも亜也ちゃんの所へ来ては丁寧《ていねい》に診察し、よく勉強していた。一週間で終わったがそのうちの男子学生の一人はその後も別の科で同じように勉強しながら、夕方になると時々亜也ちゃんの様子を見に来ていた。健康と家庭に恵まれ、医学部に学ぶのが当然のことのような学生にとっては、大学を目指して進学校に入学したが、病気のため途中で養護学校に移らざるを得なかった亜也ちゃんの境遇は大きなショックであったろうと想像された。そしてその病気の予後は「緩徐《かんじょ》ながら進行性」と教えられていた。病気に対する興味だけでなく、優しい気持ちになって暇を見つけては亜也ちゃんの様子を見に来る学生を見て、良い医者になると嬉しく思っていた。

ある日、病棟の回診を終えて、廊下を歩いていた私を待ちかまえていたように、亜也ちゃんが車椅子で病室から出て来て、消火栓のあるちょっと薄暗《うすぐら》い壁際《かべぎわ》で突然「先生、わたし……、結婚できる？」と尋ねた。

私は「できない」と反射的に答えて、次の瞬間「どうしてこんなことを突然聞くのか。きっと想っている人がいるのだろう……。あの学生かしら」と考えたが、ともかくよく話を聞いてやろうとしゃがんで車椅子の亜也ちゃんの顔を見た。ところが「できない」ときっぱり言われて驚いている亜也ちゃんのびっくりした目を見て私はドキッとした。

自分の身のまわりのことですら必死にやらねばできない現状で、しかも病気は徐々に悪くなっていることを自覚している亜也ちゃんが結婚できるかできないかなどと悩んでいることはもちろん、およそ結婚について考えることなどないと思い込んでいた。だが現実は違った。背が伸び、胸が脹《ふく》らみ、そしてその時期になるといつもふらつきが強くなって悩まされる生理も訪れ、少女から女性へと成長して行く亜也ちゃんをこの目で見て来たのに、どうして結婚して家庭を作ることを考えるはずがないと思い込んだのだろう。ただ、独断的に決めていた自分が恥ずかしく、こんなに長く深く付き合っていたのにやはり亜也ちゃんを充分理解していなかったと反省した。

この時の衝撃は、私が患者さんから受けた最大のもので、今も鮮やかに亜也ちゃんの大きな震《ふる》えるような驚きの目が脳裏に浮かぶ。

虚を衝かれた私に亜也ちゃんは「どうしてですか？　子供も病気になるからです

か?」とたずねた。私はつとめて明るく「結婚するには相手がいるでしょ。亜也ちゃんの病気をわかってくれてそれでも……という人を見つけないと駄目よ。だれかいるかな?」と答えた。大変酷《こく》だが、生半可《なまはんか》な返事で、すぐに消えるような幻想は抱かせない方が良いと思った。

「ううーん」と首を横に振る亜也ちゃんを見て目頭が熱くなり、しゃがんでいる私の目の前の亜也ちゃんの顔がボーッと霞むのと彼女の眼が潤《うる》むのとどちらが先かはわからなかったが、しばらくはその場を動けなかった。その後、数日は私の耳元で「先生、わたし……、結婚できる?」という亜也ちゃんの声がしていた。時々来ていた学生も多分忙しくなったのだろうか、次第に姿を見せなくなり、亜也ちゃんも何ごともなかったかのようにリハビリテーションに通い、病室でも明るかった。

この入院の終わり頃には起き上がると頭痛や吐き気がするという起立性低血圧の症状に悩まされ、たまたま同室の患者さんが急死するという事態に遭遇《そうぐう》し、死に対する不安が強くなって暗い顔の日々が続いた。この時にも病気がさらに進むとどうなるかを話し、死と向きあうのはまだまだ先のことだと言うとこっくりと頷《うなず》き、少しずつ、元気になっていった。

しかし日常の生活も人の手を煩《わずら》わすようになり、私が時々頼まれて専門の病気を診《み》に行っていた、付き添いが認められている病院へ移り、その後は豊橋の家に近い病院へと転院した。

二年余も会っていないお母さんからは近況の報告をいただき、相談を受け、また私の大学の若い医者が亜也ちゃんの入院している病院へ派遣されていたりして、情報は得ている。どこでも皆に可愛がられ、付き添いさんも親身になって世話をしてくれるという噂《うわさ》を聞く。

私も外来のたびに同じような病気でくじけそうになっていく患者さんに、亜也ちゃんの話をして励ましている。そして、だれよりも励まされているのは、この私かも知れないと考えるこの頃である。

あとがき

母・木藤潮香

名古屋大学で受診して、医師から、病名、病気の進行に伴い生活能力が消失していくこと、そして、根治する治療方法のないこと等が告げられた。どの親も同じだろうが、わが子だけは例外であってほしい、この程度で進行が止まってほしい、奇跡が起こらないかと願った。

必ず治ると信じて疑わない子供の姿をみながら、親としてどう看《み》ていったらいいか、彼女と共に歩くこれからの人生をしっかり見極めて、ゆるぎない柱となって支えていかねばならないと、頭の中が混乱し気持ちの整理が容易にはできなかった。

後天的障害、例えば片手や片足を切断したなど、一部障害があっても、他の健康な部分で代役を果たしている人と違って、全身の運動能力、すなわち粗大《そだい》運動（座る、歩くなど）、微細《びさい》運動（書く、箸《はし》を使う）すべてが、徐々に消失していく。その全過程が障害との闘いであり、その戦法も、症状により変化させていかねばならない。

常に進行におびやかされ、不安と恐怖の中で、自己を認識し、努力したり、諦《あきら》めたり、心安らぐことなく、娘はとうとう寝たきりになってしまった。言葉も殆どなくなり、一筋の涙さえ拭くことのできない自分を、今、冴《さ》えてる頭脳で何をどう思って、生きているのか。

それを表現する能力さえも奪われてしまった今は、知る術《すべ》もない。

発病六年目にして、一人で生活できなくなった時、「わたしは、何のために生きているのか」と、病室でノートに書いて、私に質問した。

辛《つら》くても努力して頑張り、精一杯闘ってきた結果が、期待した人生と逆行していったことにより、〝生きている価値がない。生きがいもない。迷惑人間だ〟と自分を責《せ》めていた。

〝どうしてわたしだけこんな体になった。生んでくれなければよかった〟などという、他を責めるような言動は一度も出したことがなかった。それだけに、親面《おやづら》してどう答えることができようか。

発病時、豊橋東高校から岡崎養護学校へ転校した時、学校を卒業した時、歩行不可能になった時、介護人が必要になった時など、彼女の人生の節目は、どれも塞《ふさ》がれていた。

まっ暗闇《くらやみ》のトンネルを手探りで共に掘って、血みどろになり傷ついた体をいやしたかと思うとまた次の障害物につき当る。

何とか光を求めて〝あっ、これが自分の探し求めた生きる道か〟とたどりつくことを願ってここまできたのに、終着駅はあまりにも、厳し過ぎた。

私は、彼女が泣いた時は一緒に泣いた。

転んだ時も起こしてやりながら一緒に悲しんだ。

そして動けなくなり、ひんやりした廊下を這《は》って動くようになった時も、テンポを合わせて彼女の後ろから一緒に這った。

子供の前では涙を見せまいなどと立派な態度はとれなかった。

亜也の苦しみも辛さも痛い程わかるから、それが自然の形であり母親の〝姿〟だと思った。しかし、大人として、親として他の健康な弟妹と差別はしなかった。

病気だから仕方がないという言葉は極力口にせず、身体障害者として無理なこと以外は、きちんとやっていくよう小言《こごと》もよく言った。違ったことは、病気が故に一つ余分な荷物を背負っていること、それを一緒に背負ってやらねばならなかっただけである。

その荷物のために、「人生が狂ってしまった」と亜也は言った。が、これが亜也の人生だと言って、自分だけが不幸だと狭い気持ちにならないよう、いろんな人の闘病記を買い与え、読ませたこともある。

「亜也は、本当にびっくりするくらい何ごとにも一生懸命とり組んできたんだ。五体満足でのほほんと生きているお母さんより、よほど立派な生き方をしてきたんだ。だから亜也に教えられることがたくさんあるからと言って、未だに訪ねてくれる友人もいるんだ。素晴らしいことだ」と勇気づけてやることによって、前記の質問の答えにしようと決心して、苦闘の生きざまを綴ったノートの整理にかかった。

それで彼女の気持ちが救われ、生きる希望となってくれればいいとの願いから、藤田保健衛生大学の山本纊子《ひろこ》先生に相談し賛同を得た。

「人に話せるような立派な生き方は何もしていないし、いつも泣いてばかりで、やれるうちにもっと色んなことをやればよかったと、後悔の人生だったから恥ずかしい」

と亜也自身は言っている。


〈弟妹〉


亜也が養護学校へ転校するのを機会に、中学生になっていた弟妹に、

「病気は治る見込みがなく、数年の内には目が離せない状態になると思うが、私が中心になって世話するから、あなた達は自分の将来の設計をしっかり立て、健康に充分注意していくように」と話した。

黙って真剣に聞いていたが、数日して妹は肩まで伸ばしていた自慢の黒髪をばっさり切ってしまった。

「どうして切ったの？」

「うん、ちょっと変身してみたかっただけ」

と答えたが、その後の行動の変化は、自分の生き方を定めたか、何か覚悟したな、と感じさせるものがあった。

亜也と同室で生活していた時は、よく喧嘩《けんか》もしたし、何ごともライバル意識を持ち、仲良くできんもんかと悩んだこともあったけど、姉が車椅子生活を経て寝たきりにな

った今は、姉的存在で亜也の唯一の相談相手となり心の支えとなっている。

亜也の果たせなかった東高を卒業し、現在愛知県立看護短期大学に学び、将来は亜也の側で働けるようになりたいと望んでいる。

成人した弟は、直接的役割は何もせず、

「お母さん大丈夫か、無理せんでね」

と電話してくる。

「たまにはお姉《ねえ》の顔を見に行ってやりんよ、喜ぶから」

と言っても、以前、見舞いに行った時、嬉しくて亜也が泣いたので自分もぐっとこみあげてしまったらしく、

「また行くから……、元気でやってるから頑張りんよと伝えておいてね」

と言うだけである。

三重県の警察官に奉職して二年たらずの間、少しずつ貯めた郵便貯金通帳を、「お姉のために使っていいよ」と、そっと置いて行くことで自分の気持ちを表わしているのだろう。

病気の亜也に対して、他の弟妹が成人した後どうかかわっていくか？　ふり返って

みて、亜也にも充分してやれなかった以上に弟妹には手抜きが多かった。

世間には、そっぽを向く弟妹もあると聞くと、年老いていく私にとっては心配事である。

亜也の将来の世話について「あんた達がやるんだよ」と強要したこともないけど、自然と母なき後は自分達で世話しようと、土台固めしてくれている様子が窺《うかが》えることが、私にとっては何より嬉しいことである。

〈医療〉

運動を支配する小脳に病根がある彼女の診療部門は、神経内科である。

初期のころは、大学病院と直結していたので心強く、大船《おおぶね》に乗った気持ちで、遠い道のりも苦痛と思わず通院した。が、進行に伴い自立不可能になると、大学病院では種々の条件が入院を拒む形となってくる。

重症になればなるほど、設備や医療態勢の整った病院で治療するのが理想的だが、現在の制度がそれを許さない。

完全看護を掲げている手前、付き添い婦は認められず、そうかといって看護の域はどこまでか、それをはみ出した部分はだれがするか、家族が毎日通って補助するしかない。

それができなければ、入院できないということになり、私立病院に頼るしかないが、特殊な病気ほど狭き門である。

最初は、山本先生の紹介で知立《ちりゅう》市の秋田病院に二年間お世話になった。ここは遠方のため家族の接触がどうしても少なくなる。

週一回が精一杯で、家政婦さんに頼りっぱなしになる。

期限のない入院生活だから、近くへつれてこようと思い、豊橋市内で病院を探す。先《ま》ず電話で相談、応じてくれそうだと出かけて行き具体的内容の説明に入る。そして病院から病院へ移送。

豊橋市内のN病院で約一年間世話になる。

亜也の病状を把握してもらえば何でもないことでも、正直言って、転院するごとに、「大丈夫かな、痰《たん》がつまったり硬直がくると呼吸困難となり生命を落とすことになることもある。そんな時、適切な救急処置をして頂けるか」など、親としての不安がある。

幸い、山本先生の教え子の女医が主治医となり、大学で顔を合わせることがあると聞き安心した。

今年六月、豊橋市内にある光生会病院へ三回目の転院をし、現在ここでお世話になっている。

最初は、転院による緊張と疲労か、硬直が頻発し食事も殆ど食べられなかった。外科の医師から、「今度呼吸困難がきたら気管切開する」と言われた。ノートに、「大丈夫だよ、心配いらないから、良くなったらすぐに閉じてあげるね」と書いて、亜也にも親切に説明して下さった。内科、外科の連携の良さと、リハビリの先生も加わって診て頂けることが何より心強い。

平日の夜か日曜日しか行けない私は、なかなか主治医と面接できないが、先生の当直の時は、看護婦さんが知らせて下さるし、連絡ノートを介して、家族の悩み、亜也の質問事項等を知らせることができる。惜しみなく労力を費やして応えて下さるので、信頼し、感謝し、尊敬している。亜也もやっと安心した気持ちとなり、笑顔が見られるようになった。

そして、大好きな風呂にも、近々入れてもらえると聞き、彼女の新たな希望になっている。

〈家政婦さん〉

亜也と私が、常に不安を持っていたことの一つに、家政婦の問題があった。

私が仕事を辞《や》め世話ができれば問題はないのだが、他の弟妹も育てなければならないし、成長に伴い、経済問題と共稼ぎを前提に新築した家のローン返済等で、退職するわけにはいかない。

どうしても家政婦さんにすがるしかないのだ。

日常生活が何一つ自分でできない上に、言葉がわかりにくく、意思伝達は文字板の指さしのみ、しかも、さっと指は動かず、遠方から指をずってやっと目的の一字にたどりつく。速度の遅い動作であるから忍耐がいる。食事は二時間はかかる。

非常に世話のかかる重症患者である。

最初に世話になった家政婦さんは七十歳のおばあちゃんで、孫のように可愛がってくれた。

母親より、本人とのコミュニケーションが良く、口の動きを見るだけで、

「よしよし、わかった」と言う。

「今、なんて言ったの?」と、私が聞く側だった。

おばあちゃんのかいがいしく世話する姿を見て、尊い仕事、いい人にめぐり会えたと、ただ感謝するばかりであった。

豊橋のN病院へ転院してからが大変だった。一年間に何人代わっていかれたか、わからないほどだ。

「亜也は世話がかかるから大変でしょう」と長期間いて下さる方に尋ねると、

「このくらいで音をあげるようでは勤まらんよ」

と言われる。逆に、

「ああえらい、えらくてどうしようもない」

と連発された方は、すぐ代わっていかれる。

交代する時が問題である。家政婦会に交代する人がいないと次にくる家政婦がみつかるまで家族で世話するようにと会長が指示するので、私の仕事場へ電話が入ることになる。疲れるのも確か、世話がかかるのも確かであるから立場は弱いけど、どうしようもないではないか。

月一〜二回は交代して私が泊まり、休養をとって頂くよう配慮することが精一杯の協力だ。家政婦さんに辞めたいと言われはしないかと、気を重くして病院へ行くことも度々あった。

病院からも家政婦会へ協力依頼してほしいと希望したところ、人がいないと言われれば、それ以上どうしようもないし、家政婦会とは関係ないから、最初の派遣依頼の電話をするくらいです、との返答である。

「お母さん、あんないい家政婦さんは他にはもういないから、長く続けてもらえるように、できるだけ協力していきなさいよ。亜也さんは世話がかかるから、もう他にくる人はありませんよ」

T医師に呼びつけられて言われる。

脅しではないか。弱者を窮地に追いやるような言葉を、関係がないと言った同じ口で、何故言えるのか……。

一緒に考えよう、でもなく、ましてや援助もしないのなら、そこまで立ち入ること自体立場をわきまえていないことになる。

私も、会へは数度足を運び事情を話し、理解を求めてきた。

本当の人手不足か、世話がかかるという評判のせいでくる人がなかったのかわからないけど、快方に向かう目処《めど》のない子に、病気以外の心配はかけさせたくなかった。

そして、次の病院探しが始まった。わらをもつかむ気持ちで光生会病院へ電話し、事務長さんと面接する。本人の状態、転院の理由、家庭の事情等を詳しく説明する。テキパキと病室の手配、家政婦会への連絡（以前とは異なるH会へ）等して下さって、すぐ受け入れてもらえた時には、安堵と感謝の気持ちで涙した。

治療が中心であることは勿論であるが、患者のかかえている背景は、種々であり、それが病気回復を妨害することも多々ある。

家族に甘えがあってはならないのは当然であるが、医療従事者が個々の立場に立って、患者、家族を支えて、社会復帰を目指して、力を出し合っている、そんな病院へ入院でき、やっと療養に専念できるようになったと言っても過言ではない。

また、二十四時間生活を共にする家政婦さんの人柄も、病人に与える影響は大きい、と痛感した。

自分は世話になる身だからと言って一度もぐちを言わなかった子が、

「お母さん、家政婦さんが脅す」

「おいて帰るよ、といつも言う」

「二口、三口しか食べさせてくれないので、夜中に、お腹がすく」

「どうせ治らん病気でしょ」

硬くなる指を必死に動かして、数十分もかかって訴えた。

私が病院を訪れる時には決して家政婦は態度に表わしはしない。しかし、亜也の硬直のひどさ、食べれないといって日に日に衰えて、鼻腔栄養（管を鼻から食道に差し込んで栄養を送る）にしなければいけないところまできてしまったのは何故だ。この子は、長寿は望めない。病気の悪化によって命をなくすなら諦《あきら》めもできようが、毎日針のむしろに座らせておくような事は、亜也が耐えなければならないことではない。

「決してわがままを言う子ではないし、ぜいたくを望む子でもない、繊細な性格で、夜中に家政婦さんを起こしてしまった時など非常にすまないと詫びるくらい優しい神経の子が、我慢できず訴えるというのは、よくよく辛抱してのことであると理解してほしい」と、看護婦さんに勇気をもって話す。

数日して、若い家政婦さんと交代した。

二〜三日は様子がわからないため緊張気味であったが、あんなに頻繁にあった硬直も殆ど消失した。

食事も相変わらず時間はかかるが、「亜也ちゃんは食べることが仕事だ」と言って、気長に食べさせてもらい、顔もふっくらしてきた。時々化粧をしてもらい、娘心にも満足しきっている。

現在も、その家政婦さんに世話になっているが、ベッドに座らせてもらったり、車椅子に乗せてもらったり、毎日の生活に変化と喜びを持たせて頂き、大きな笑い声が病室から聞こえてくるようになった。

病院暮らしは仮の住まいでありながら、亜也にとって、そこは生活の場である。そして、一緒に生活している家政婦さんは、母であり家族と同じだと思っているだろう。

家政婦さんが用事で出かけられ、数時間して帰った時の嬉しそうな笑顔を見て、そう窺えるのである。

花咲くこともなく、人並の幸せも味わうことのできない苦難の人生が、これからも続くであろうが、病院の先生はじめ職員の方々、そして家政婦さんの温かい保護のもとに、生ある限り、今のささやかな幸福が一日でも長くあらんことを祈らずにはいられない。

出版のことが新聞で報道されてから、多くの方の励まし、とだえていた恩師、岡本先生の来訪、旧友との再会が生まれ、喜びあう日々が復活したことも、唯々感謝するのみである。

昭和六十一年一月

追記

二十五歳十か月、あまりにも短い人生に終止符がうたれました。

意識不明、呼吸停止。一瞬の間に襲われたこの危機にも、亜也の心臓は「まだ頑張るんだ！　止まってなるものか！」と、必死で動いていました。

人工呼吸器によって体内に酸素を送り、生命を維持しているとはいうものの、スヤスヤと眠っているようなおだやかな顔です。

パッと目をあけて笑ってほしい。もう一度だけでもいいから、目と目で話がしたい。

「亜也ちゃん、お母さんの顔を見て？　お母さんの手の暖かさ、わかる？」。

症状から判断すれば望んでもしかたがないとわかっていても、これまでもいくたびか苦難を乗り越えてきたんだ。このままでは、あまりにも残酷すぎる。哀れではないか。悲し過ぎるではないか！　もし別れが近づいているのなら、亜也ちゃん、あいさつをしなくてはいけないよ。ねェ、亜也ちゃん、お母さんの言うことわかっている？

でも、亜也はどんな呼びかけや感触にも反応を示さなくなってしまいました。

お父さんも、妹も、弟も、そして私も、ただ見守っているだけで何もしてあげられない。少しでも亜也の苦しみを背負ってあげられないことが、とてもつらい。身がよじれるほど、つらくて悲しいんだよ。

血圧が下降しはじめ、鼓動も力尽きたように、ゆっくりとなってきた。この世での、亜也との別れが近づいてきたことを自分に言い聞かせる。

亜也は、生命《いのち》を終える時、どんな形を望むだろうか。

枕元の愛用のラジカセのスイッチをオン。

真夜中。父母、妹弟らが見守るなか、他の病室に迷惑にならない音量にしぼり、静かに流れるクラシック音楽を聴きながら、心電図の波形は、一本の線となりました。

きれいに咲いた草花のじゅうたんの上で、好きな音楽を聴きながら、眠るようにゆけたらいいなあ――。

元気だったころ、ふっと彼女の言った言葉がよみがえった。

昭和六十三年五月二十三日、午前零時五十五分永眠

母・木藤潮香

この作品は、亜也さんの病状が進みほとんど判読できない文章を、母親である木藤潮香さんが原稿用紙に筆写するなどしてまとめ、一九八六年二月エフエー出版より刊行されました。本書はそれを文庫化したものです。

なお、亜也さんは、本の出版後の一九八八年五月二十三日午前零時五十五分、家族全員の見守る中、永遠の眠りにつきました。日記を書くことができなくなってからの亜也さんの様子は、潮香さんの著書『いのちのハードル　「1リットルの涙」母の手記』（幻冬舎文庫）に綴られています。

1リットルの涙《なみだ》

難病《なんびょう》と闘《たたか》い続《つづ》ける少女《しょうじょ》亜也《あや》の日記《にっき》

木藤亜也《きとうあや》

平成17年2月25日　初版発行
平成17年12月20日　28版発行

発行者——見城徹
発行所——株式会社幻冬舎
〒151-0051東京都渋谷区千駄ヶ谷4-9-7
電話　03(5411)6222(営業)
　　　03(5411)6211(編集)
振替00120-8-767643

印刷・製本—中央精版印刷株式会社
装丁者——高橋雅之

幻冬舎文庫

ISBN4-344-40610-9　C0195　き-13-1